最完整的

孕期飲食宜忌

一本就受用！

懷孕初期‧中期‧後期的飲食指南，
各階段營養一次滿足

序言

　　媽媽從懷孕的第一天開始，每天吃對的食物，適時補充孕期各階段所需的營養，是寶寶發育成長的重要關鍵！

　　主要針對懷孕媽咪各階段適合吃的食材，做最完整的營養分析，並介紹孕前營養的重要性與飲食原則、孕期各階段的飲食常識、孕婦不宜的飲食習慣、孕婦與胎兒在不同階段的生理變化等知識。

　　本書將由「飲食宜忌」的角度切入，教導新手媽媽如何在懷孕初期（第1－3月）、懷孕中期（第4－6月）、懷孕後期（第7－10）運用食材搭配出適宜食譜，並注意飲食原則，緩解孕期不適症狀，給寶寶成長所需的充足營養。

　　以傳統醫藥學、養生學為基礎，並提供每種食材的飲食宜忌，結合現代醫學、營養學的研究成果，為懷孕媽咪做全方位的準備。

目錄 content

PART 3

4～6 個月懷孕中期飲食宜忌 60

PART 4

7 ～ 10 個月懷孕後期飲食宜忌 108

PART 5

孕期食譜及常見症狀的食療 140

PART*1
常 識 館

孕·婦·健·康·飲·食·特·點

雖然在懷孕期間體重過度增加是個問題,但體重幾乎不變,甚至減少,
卻會對懷孕造成更大的影響。現在就讓我們透過均衡吸收營養素來幫助
寶寶發育吧!

常識館

重視孕婦所需的營養

在懷孕期間必須均衡地攝取充足的營養，這對母體還有胎兒的發育是非常重要的。要食用含有豐富維生素的各種蔬果，並補充豐富蛋白質和鈣，讓胎兒獲得足夠營養。

❀ 妊娠期的生理改變

妊娠是很複雜的生理過程，孕婦在妊娠期間，體內會有一連串的生理變化，以適應胎兒在子宮內正常的生長發育。

代謝改變

在大量雌激素、黃體酮以及絨毛膜促性腺激素的影響下，母體的合成代謝增加，甲狀腺素分泌增加，基礎代謝率升高。做為胎兒主要能源的葡萄糖可透過胎盤以糖原的形式儲存，並經胎盤轉運至胎兒；胺基酸可透過胎盤主動轉運；脂肪酸則透過胎盤擴散轉運至胎兒。接近妊娠足月時，胎兒每日需要35克葡萄糖、7克胺基酸和1.7克脂肪酸。

消化系統功能改變

消化液分泌減少，胃腸蠕動減慢，常出現胃脹及便祕。妊娠早期常有噁心、嘔吐等妊娠反應，對某些營養素如：鈣、鐵、維生素B_{12}及葉酸的吸收能力增強。

體重增加

健康女性若不限制飲食，在妊娠期間，由於胎盤、羊水、子宮肌肉、乳房、血液、細胞外液及體脂肪均增加，一般體重會增加10～12.5公斤。妊娠初期增重較少，而妊娠中期和妊娠後期則每週穩定地增加350～400公克。

腎功能改變

妊娠期孕婦需排出自身及胎兒的代謝廢物，因此腎臟負擔加重，腎小球過濾能力增強，尿中可能出現葡萄糖、胺基酸。腎上腺皮質醇增加，影響母體內碳水化合物的代謝，增加葡萄糖合成，所以會有高血糖的現象。

血容量及血液動力學改變

　　正常非妊娠期女性血漿容量約為2600毫升，妊娠期加40％。紅血球量增加因孕婦是否補充鐵而有所不同，無鐵補充者妊娠期紅血球量增加18％，而有鐵補充者則增加30％。由於血容量的增加幅度較紅血球增加的幅度大，致使血液相對稀釋，平常沒有懷孕的女生，平均血紅素濃度為每100毫升中含有12～14公克，懷孕時則會降低至每毫升中含有11公克。

🌸 孕產婦飲食的特殊性

　　要保證「一人吃，兩人補。」孕婦的營養問題關係到兩代人的身體健康，尤其對孩子體質基礎的形成具有關鍵的作用。胎兒生長發育所需的一切營養完全是由母體透過胎盤供給的，要使其出生後就有良好的體質，孕婦必須補足豐富的營養素。實際上，孕婦食入的營養素，不僅是滿足自身和胎兒發育的需要，而且還要為分娩和產後哺乳做好營養貯備。因此，孕婦必須講究合理營養，而妊娠反應又會引起噁心、嘔吐、食慾減退、厭食等，孕婦更是必須要加強營養物質的攝取，否則會對健康產生不良影響。

孕前營養

　　由於有些避孕藥物可能會引起水溶性維生素，如：葉酸、維生素B群及鋅、鐵等微量元素缺乏，故在有生育計畫時，應先為懷孕做好營養準備，這是妊娠和生產全部過程的重要基礎。

妊娠期營養

　　妊娠前半期：主要是由於孕婦害喜而大量嘔吐，進食明顯減少，這可能導致水電解質失衡、無機鹽及微量元素明顯減少和蛋白質缺乏等。必須大量補充高熱量、高電解質、高維生素、易消化的均衡飲食。

　　妊娠後半期：胎兒發育加快，孕婦在每天保持自身代謝需要的同時，還需要補充大量營養來保持胎兒生長發育所需的高熱量、高蛋白營養及多種維生素、微量元素。

❀ 胎兒體格發育與營養需要

　　嬰幼兒的健康成長，需要有良好的營養。營養的好壞不僅決定著孩子的體格發育，而且直接影響智力發展。**事實上，嬰幼兒營養從媽媽受孕時就應開始加強，因為就人一生的營養而言，胎兒期營養是嬰幼兒期健康成長的前提，而嬰幼兒期營養又為學齡期體力、智力的發育奠定基礎。**胎兒在母體內得不到足夠的營養，會影響腦細胞的分裂繁殖，造成永久性腦細胞數量減少，嚴重影響以後的智力發展。

　　胎兒期營養實際上就是孕婦的營養，而新生兒、嬰兒的營養也就是母乳的營養。因此，為了利於胎兒和嬰幼兒的健康發育，孕婦在日常生活中要均衡地攝取各種膳食，不要偏食，以獲取足夠的蛋白質、維生素、無機鹽等各種營養，滿足自身及胎兒所需。另外，一些市售乳製品富含蛋白質、葉酸、無機鹽及脂溶性維生素，可為孕婦提供全面的營養。

胎兒體格發育
所需營養素

營養素	功效
維生素B	是身體組織成長時所必需的成分，大部分存在於肉類、麵包、雞蛋、牛奶、綠色蔬菜、豆類等食物中。
葉酸	維生素B群之一的葉酸對紅血球的形成相當重要。它存在於含有鐵質的食物中，但如果是在高溫下食用，就很容易被破壞。懷孕期間最好服用含葉酸的鐵質片劑。
維生素B$_{12}$	只存在於牛奶等動物性食物中，如果平時不吃肉類的話，那麼最好每天喝1公升的牛奶。
維生素C	存在於柑橘類、新鮮水果、綠色蔬菜、番茄、馬鈴薯等食物中，不過在料理時很容易被破壞。
維生素K	可從綠色蔬菜中攝取，它是血液凝固時必備的蛋白質，而且還可以透過在腸胃裡的細菌自行在身體內部生成。
鐵、鈣	它們對身體的正常運作有相當大的作用。鐵是造血時必須的元素，是血紅素的成分，鈣則是維持骨骼以及牙齒發育的重要營養素。

孕婦膳食的安排原則......

供給足夠的
熱量和營養素

按照孕婦每日膳食中熱量和各種營養素供給量標準，合理調配膳食，使每日進食食物種類齊全，數量充足。尤其注意補充孕產婦較易缺乏的鈣、鐵、維生素D和維生素B群等。

每日膳食中應包括糧穀、動物性食物、蔬菜水果、牛奶及乳製品等食品，並輪流選用同一類中的各種食物。這樣既可使膳食多樣化，又可使各種食物在營養成分上達到互補作用。另外，同時要注意膳食的季節性變化。

選擇食物
要多樣化

要適量
的進食

每餐應有一定的飽足感，既要避免胃腸負擔過重，又要不出現飢餓感，每餐飯菜的組成最好兼具粗糙和精緻、固體和液體、濃縮和稀薄的食物適當搭配，使身體對不同的營養成分消化吸收均衡。

把整天的食物定質、定量、定時地合理分配。三餐熱量分配合理，全天的熱量分配以早餐25%～30%、中餐40%、晚餐30%～35%為宜。如果由於消化道功能降低，胎兒、子宮增大後擠壓胃腸，可根據具體情況，適當減少餐次和調整進食數量。

調整合理的
膳食制度

注意膳食的
感官狀態

適宜地烹調以減少營養素的損失，盡量做到膳食的色調誘人、香氣撲鼻、味道鮮美、外形美觀，以刺激食慾，促進食物的消化與吸收。

常識館 孕前營養的重要性與飲食原則

懷孕前的營養攝取，對胎兒生長發育有決定性的影響，更是孕育健康寶寶的重要關鍵，充分掌握飲食原則，相信也可為日後懷孕、生產奠定良好基礎。

✿ 孕前營養的重要性

妊娠之前，婦女的營養水準與妊娠期過程有一定的關係，也可以把此一時期稱為妊娠準備時期。每一位已婚、未孕或想生個健康孩子的育齡女性都包括在這個時期內，這一點容易被人忽視。

以下2點的孕前營養與妊娠過程有著密切關係：

1. 孕前營養良好時，可使母親較容易地適應妊娠所帶來的負擔

身體健康的女性在妊娠期間對妊娠反應一般較輕。比如：噁心、嘔吐、高血壓、妊娠重度症，一般健康的女性較少發生這些疾病。

2. 在孕前補充營養對胎兒有利

胎兒的營養取決於母體的供給情況。健康的女性一般抵抗力強，偶爾在妊娠期間食慾不好，食物攝取量下降，可動員身體內的儲存來滿足母體和胎兒的營養供給，不會發生太大的問題，可以較好地保護胎兒的生長發育；相反地，若母親在妊娠前營養狀況不好，孕前營養貯備很少，偶爾傷風感冒，也可能影響胎兒的生長發育。當然，在妊娠期如果注意營養的補充，可以減緩部分孕前營養不良帶來的負面作用。

✿ 孕前的營養準備

恢復體重

有一部分母親在妊娠前可能由於未注意營養，體重不足，此時應有意識地注意增加自己的食量，多吃一些肉、魚、雞蛋等，使自己的體重達到正常範圍。

診治疾病

在孕前如果患有某些疾病應診斷清楚及時治療；如果肝功能不好或患有胃腸疾病，應在身體恢復時再妊娠。一些慢性病，如：肺結核，則應完全恢復後再受孕；心臟病患者應在醫生指導下確定是否可以妊娠。在妊娠前，由於未注意營養，有些母親可能患有營養缺乏疾病，如：維生素B2缺乏、鈣攝取不足、維生素A缺乏、缺鐵性貧血、葉酸缺乏、鋅攝取不足等，也應檢查一下，以便加以治療，改善營養狀況。

熟悉營養知識

一些可能將來獨立生活的年輕夫婦，要熟悉一下營養知識，對食物的營養價值，食物的適當烹調、調配，營養素在烹調過程中的流失，以及烹調技術等，也應適當預先了解。

❀ 孕前營養的基本原則

選擇富含營養的食物，如：動物性食物可增加蛋白質的攝取量；牛奶除蛋白質豐富外，還含有鈣質；綠色蔬菜是維生素C、胡蘿蔔素的良好來源；海產品是不飽和脂肪酸和蛋白質的良好來源；海菜一般富含碘。選擇食物的品種和範圍要擴大，以確保各種營養素的攝取。

孕前飯量是否應增加，取決於平時的營養攝取。平時營養攝取較好的婦女，只須在選擇食物上稍加注意即可。孕前身體健康不佳，尤其營養攝取較差的女性，要增加飯量，平時每天吃400克米和麵的，可增加到每天500克左右，即使稍胖一些也沒問題。米飯和麵食的變化要多樣，以促進食慾。

孕前的禁忌

- 避免或盡量少吃一些純熱量食物，如：白糖、甜點、蜂蜜等，因為這些食品攝取多了，會使維生素、無機鹽攝取量下降。
- 由於吸菸、飲酒對胎兒不利，因此有此不良嗜好者應戒掉。
- 盡量少服用營養補充劑，應當透過選擇食物、適當調配來達到改善營養的目的。
- 盡量少服藥物，因為任何藥物都有可能對卵子產生影響，造成胎兒畸形。

營養不良對母體健康的影響

營養不良不但不利於自身健康，還容易發生合併症，而且會直接引起胎兒發育不良。

❀ 引起母體營養缺乏症

　　妊娠期無論孕婦攝取多少營養，胎兒總是從母體中吸收大量營養素以供本身生長發育。因此，如果不注意妊娠期營養，容易造成孕婦營養不足，甚至營養缺乏。

　　以下為常見的孕婦營養缺乏症。

貧血

　　孕婦易患缺鐵性貧血，妊娠期母體血漿容量增加50％，而紅血球僅增加20％，因此血紅素相對不足，會形成生理性貧血。加上胎兒造血及肌肉組織形成，使母體對鐵的需球量大大增加；但是不要刻意補充鐵劑，如果飲食中營養充足，尤其是維生素B_6，身體就不會吸收過量的鐵質。不過懷孕期間常因為飲食中缺乏鎂、維生素B_6或膽汁素，使組織中存積過量的鐵。過量的鐵質儲存於肝臟等組織中，可能會造成某種程度的損害，而形成結痂組織並且鈣化，導致致命的鐵質過多症。鐵劑會增加對於數種營養的需要，包括葉酸、維生素C及氧氣，對於胎兒的發育有重要的影響。孕婦服用綜合鐵劑，可能造成畸形兒、智障兒、流產或早產。

　　由食物中所獲得的鐵不會造成損害，只要每天吃新鮮的肝臟（豬肝菠菜湯）、蛋、酵母、綠色蔬菜，即使嚴重的貧血，也能在2～3個星期內恢復正常，不需服用任何鐵劑。盡量在食物的選擇上與一般人接近，攝取均衡的營養，充足的蛋白質、維生素（奶、蛋、魚、肉、豆、蔬菜、水果）及增加富含葉酸的食物（綠葉蔬菜、蛋黃、黃豆

製品等）均有助維持身體的最佳狀況。

　　地中海型貧血又稱海洋性貧血，是一種隱性遺傳性的血液疾病。它沒有傳染性，也無法根治，而且男女罹病機率相同。在台灣，大約有6％的人為輕度地中海型貧血患者（帶因者）。地中海型貧血又可分為甲型（A型）和乙型（B型）。夫妻若為同型帶因者，胎兒就有可能成為重型地中海型貧血患者。不論為甲型或乙型，都會危及孕婦或胎兒的生命及健康。

　　輕度貧血對妊娠和分娩影響可能不大，但重度貧血則導致母親體質虛弱，臨產時子宮收縮無力，常需手術助產。另外，易發生產後出血。貧血的產婦對產後出血的耐受能力往往很差，因此增加了產婦死亡的危險性。

> **健康小叮嚀**
> 婚前或懷孕時一定要接受地中海型貧血帶因者的篩檢，記得帶另一半去做檢查。地中海型貧血和缺鐵性貧血的注意事項不盡相同，但是地中海型貧血帶因者仍有缺鐵的可能性，因此得到確切的診斷是必要的。

缺鈣症

　　懷孕對於女人而言，是身體發生重大變化的特別時期。肚裡胎兒所需的養分都得透過胎盤由母親來供給，包括胎兒所需的鈣，所以，若孕婦沒有注意適時補充鈣，將會造成血鈣濃度降低，進而不得不動用到原本保存在全身的骨鈣。

　　孕婦在妊娠中期多會出現抽筋、腰腿痠痛、骨關節痛、浮腫等現象，這些都是由於缺鈣所致。嚴重者甚至會轉變為高血壓、骨質疏鬆、軟骨症、骨盆畸形、牙齒鬆動、難產、產後乳汁不足等情形。

　　母親缺鈣，會影響胎兒在子宮內的發育，可能引起流產、早產、死胎、胎兒畸形和低體重兒，還會致使胎兒腦細胞分裂減慢，膠質細胞數目減少，嚴重者影響胎兒智力與神經系統發展遲緩；另一方面，分娩時可能會發生骨質軟化性難產。

> **健康小叮嚀**
> 補鈣的同時如果沒有足夠的維生素D，鈣是無法被人體吸收的，但現在的鈣劑多數已包含促進吸收的維生素D，所以不用另外補充，孕婦可以找機會多晒晒太陽。

妊娠期缺鈣，更年期後則易患骨質疏鬆症。近年來，愈來愈多的研究證實，孕婦缺鈣與妊娠高血壓綜合症發病有關，妊娠期補鈣能降低妊娠高血壓綜合症的發生。

熱量不足

熱量在妊娠中期主要是供給母親本身，後期則是為了胎兒及胎盤的成長所需。孕婦熱量攝取不足，則會使體內儲存的糖原和脂肪供熱，因而體重增加少，出現精神不振、皮膚乾燥、脈搏緩慢、抵抗力減弱等症狀。行政院衛生署所公布之國人每日營養素建議攝取量中提到，目前國人孕婦之熱量攝取已足夠，因此在懷孕之第1期（第1～3個月）並不需要增加熱量，而第2及第3期則每日需增加300卡。

> 熱量的主要來源為五穀類和油脂類，可依活動量、工作情形，做不同的調整簡易公式：
>
> ### 理想體重×40大卡＋300大卡＝孕期所需之熱量

✿ 造成母體肥胖

妊娠期如果盲目偏食或某些營養攝取過量，易使孕婦體重過重，甚至肥胖。有些孕婦因飲食失調所造成的肥胖，產後數年仍不能恢復，不僅影響體形，而且易於發展成糖尿病、高血壓、高血脂、動脈粥狀硬化等慢性疾病；另一方面，母親肥胖、胎兒生長過度，不僅增加行動負擔，也會給分娩帶來困難。

✿ 影響正常分娩進程和產後恢復

分娩時子宮收縮，產婦感覺疼痛，要消耗大量的體力和精力，還有創傷流血。分娩後子宮腔內胎盤附著處新生內膜逐漸修復及分娩所引起產道充血、水腫或不同程度產道裂傷的恢復癒合，都需要孕婦有足夠熱量和各種營養素的貯備。如果分娩前後營養不足或缺乏，不僅不利於母親恢復健康，並且會影響正常的乳汁分泌，間接影響嬰幼兒的生長發育。

常識館

營養不良對胎兒健康的影響

一般來說，婦女從懷孕第四個月起，必須增加熱量和各種營養素。除了熱量和蛋白質外，需要增加鈣、碘、鐵、鋅及維生素A、維生素D、維生素E、維生素B$_1$、維生素B$_2$、維生素C等。但要注意營養素補充不能過多，否則也是不利於健康的。

✿ 1、影響新生兒體重

很多研究說明新生兒體重與母親營養狀況有著密切相關。孕婦營養不良時，血容量增加較少，心搏出量隨之減少，進而使胎盤血流量不足，導致胎兒生長發育遲緩，造成新生兒體重降低和早產兒增多。

> 什麼是早產兒？
> 早產兒是指妊娠期少於37週即出生的嬰兒。

✿ 2、新生兒死亡率增高

孕婦營養不良，其胎兒和新生兒的生命力較差，禁不起外界環境中各種不良因素的衝擊，死亡率較高。

✿ 3、易導致先天畸形

胚胎或胎兒畸形常造成胎兒在子宮內死亡，導致自然性流產或早產。部分能存活的出生兒稱先天畸形。孕婦某種營養素過多或過少都可導致先天畸形的發生。因為最易受營養失調影響而產生致畸損害的關鍵時間，往往是胚胎組織、器官分化形成時期。

> 什麼是畸形胎兒？
> 畸形胎兒是指子宮內胚胎和胎兒在發育過程中受到各種因素影響，所引起的形態結構、生理功能及行為發育異常。

✿ 4、影響胎兒智力的發展

人的智力有一定的差別，這與遺傳、胚胎及胎兒期情況、分娩過程，以及後天教育等有關。一個成熟的卵子重量只有5/100微克，而嬰兒出生的體重可達3～3.5公斤。短短的280天內，體重增加了600000000倍以上，均是從母體中吸收了豐富營養的結果。

孕婦不宜的飲食習慣

在孕期，準媽媽要提供懷孕期間自己與寶寶所需的充足營養，這也能使自己產後乳汁
分泌充足，身體快速恢復；寶寶發育良好，出生後能健康成長。

✘ 暴飲暴食

孕期當然需要加強營養，但絕對不能暴飲暴食。大量進食油炸或難以消化的肉類食
品會導致消化不良、急性腸胃炎、急性胃擴張、急性膽囊炎和急性出血性胰腺炎等消化
系統疾病。

其中，急性出血性胰腺炎以噁心、嘔吐及上腹部疼痛為主要症狀，腹痛時大多數症
狀劇烈，如果不及時搶救，常會導致病人死亡。

如果孕婦不講究科學地進食而暴飲暴食，光吃不運動，貪睡懶起，不僅會營養過
剩，還會導致體重超重，過於肥胖，進而增加心臟、腎臟負擔；或者導致胎兒過於巨
大，引發難產。

✘ 節食

女性懷孕後，由於腹內胎兒逐漸長大，準媽媽的子宮也會隨之增大、增厚、增重，
加上胎盤與羊水，體重通常比孕前增加了11公斤左右。

準媽媽增加的這一部分體重需要從飲食中攝取營養來補充。如果盲目地節食，將
會由於血漿蛋白降低而出現營養不良性水腫或罹患其他疾病。

節食可能會導致的症狀

- 鐵質攝取不足，會使貧血症狀加重。
- 限制了鈣質的吸收，會導致母體骨頭軟化，胎兒易患佝僂病。
- 胎兒缺乏蛋白質時，會影響腦神經細胞的發育，影響胎兒智力低落。
- 胎兒心臟、肝臟糖原供給不足時，就無法忍受母體臨產時子宮收縮的負
  荷，出生後容易窒息或罹患低血壓症。

✖ 偏食

　　孕期如果偏食，攝取單一的營養素，那麼體內會長期缺乏某些營養物質或微量元素，造成營養不良，使妊娠併發症增加，如：貧血等。

　　同時，母體不能為胎兒的生長發育提供其所需的足夠營養物質，容易造成流產、早產、死胎、胎兒在子宮內發育不良等，有的嬰兒出生後也會由於先天不足而瘦小多病，難以餵養。

✖ 長期吃素

　　孕婦長期吃素不利於胎兒的健康發育。孕期如果不注意攝取營養，會對母體和胎兒產生很大的影響。素食者容易缺乏的營養素要多加補充。

長期吃素容易導致的
症狀與營養的攝取

缺乏元素	導致症狀	攝取方式
鈣質	如果缺乏鈣質，孕婦可能出現牙齒鬆動、齲齒、骨刺、動脈硬化、膽石症等症狀。胎兒則會發生先天性佝僂病。	帶骨魚類、奶類及其製品是鈣質最好來源，像是豆漿、豆腐、綠色葉菜等食物。
鋅	可能會使胎兒在子宮內的生長發育停滯，產生代謝障礙、性功能發育不完全，腦細胞數目少。	所以要多吃杏仁果、豆漿、豆腐、未精製的五穀雜糧類等食物。
鐵	可能引起孕婦貧血，嚴重時會導致流產、死胎、新生兒死亡、妊娠毒血症、胎盤早期剝離和產後出血等症狀。	要多吃果實核仁類、豆腐、南瓜子等食物。
維生素D	如果缺乏維生素D會使鈣質無法吸收。	雞蛋、乳酪、添加維生素D的營養強化食品等；另外，晒太陽是獲得維生素D最有效的方法。
維生素B$_{12}$	孕婦所生產的嬰兒，容易罹患難以治療的腦損害。嬰兒出生3個月後會逐漸顯示出感情淡漠，喪失控制頭部穩定的能力，出現頭和腕部的不自主運動，如果不及時治療，會引起顯著的神經系統傷害。	維生素B$_{12}$的食品來源有啤酒酵母、乳製品、添加維生素B$_{12}$的營養強化食品等。

PART * 2
1 ～ 3 個月

懷 · 孕 · 初 · 期 · 飲 · 食 · 宜 · 忌

孕期開始了，隨著時間的推移，準媽媽無論是生理還是心理都會產生很
大的變化，而寶寶也一天天在改變，這些都需要準媽媽做好身體的保健
工作，並進行適當的飲食，以從中攝取自己和寶寶所需的營養。

準媽媽的保健須知

懷孕初期前三個月對孕婦和胎兒來說是最重要的時期，所以懷孕計畫的女性應該從第一週開始調整身體。此外，懷孕初期胎兒成長特別快速，孕婦身體會出現很大的變化，還會出現噁心想吐的不舒服症狀。

生理特徵

第1個月

孕婦會出現與往日不同的生理特徵，如：月經停止、乳房隆脹、子宮變得柔軟或者感覺不舒服。因新陳代謝加快，免疫系統相對調整，荷爾蒙水準升高。

第3週　少部分女性在受精卵著床時會感覺到白帶中有血絲或有點狀出血，此時基礎體溫處於高溫期。

第4週　有的女性會感覺下腹有輕微的悶痛，與月經來潮的症狀相似。接著，有的女性會出現噁心、嘔吐的害喜症狀，飲食嗜好改變。

第2個月

第5～6週　乳房腫脹，乳頭及乳暈顏色變深，乳頭敏感。

第7週　出現害喜現象，包括：頭暈、頭痛、噁心、嘔吐、無力、容易倦怠、嗜睡、口水增多等症狀；陰道乳白色分泌物增加，故宜注意清潔。

第8週　子宮略增大如雞蛋般大小；膨大的子宮壓迫膀胱與直腸，造成頻尿、排便感、便祕、腰痠及下腹痛等現象；皮膚因荷爾蒙變化而產生改變：頭髮長得更快、指甲易折斷、膚質變好或變壞、色素沉澱加深、牙齦浮腫、刷牙時牙齦易出血；容易流汗、體味加重；害喜現象持續存在。

有個別的孕婦會在月經週期時有少量的出血現象，即「妊娠月經」。

- 準媽媽的乳房更加膨脹,甚至略感疼痛。
- 下腹部隆起不明顯,腰圍略有一點增加。
- 陰道中流出的乳白色分泌物逐漸增多。
- 基礎體溫仍然偏高。
- 孕吐持續一段時間,到本月底基本上會停止。
- 可能出現便祕或者輕度腹瀉。如果症狀嚴重,則屬於異常情況。
- 子宮漸增大如一成年男人拳頭般大小,因此頻尿現象繼續存在。
- 出現妊娠癢疹,冒出青春痘;有的準媽媽臉部開始出現妊娠斑。
- 體重增加約1.5～2.5公斤。

❀ 心理特徵

過分擔心

有些準媽媽對懷孕沒有正確、科學的認識,容易產生憂喜交加的矛盾心理,對自己的生理變化及胎兒是否正常產生懷疑。

早孕反應

嚴格來說,早孕反應(孕吐)是一種身體和心理因素共同作用而產生的症狀。但醫學家經過研究後發現,孕吐與心理因素有密切的關係;如果準媽媽厭惡懷孕,則通常會有孕吐及體重減輕的症狀。

心理緊張

有的準媽媽及親屬盼子心切,又對將來的生活沒有完善的計畫,因而對住房、收入、照料寶寶等問題感到擔心,導致心理上的高度緊張。

> 改善原則 準媽媽要盡可能放寬胸懷,不要斤斤計較;家人應多關心和照料準媽媽,不要讓她受到外界帶來的刺激,不要有可能引起準媽媽猜疑的言行,要盡量使其心理保持在最佳狀態。

❀ 運動保健

1. 孕期不要進行一些拉伸、跳躍、負重，以及對腹部有壓力的運動，而且運動量要適可而止，以免發生意外。

2. 可在醫生建議下適當的做一些保健操。

3. 平常行走時，要盡量保持全身的平衡，穩步行走。

4. 散步是一項非常適合的運動，它可以幫助消化，促進血液循環，但一定不要穿高跟鞋。

❀ 性保健

此時一般應避免性生活，以預防子宮收縮而引發流產。因為孕期的前3個月，胚胎還沒有在子宮裡牢固地生存下來，隨時有掉落的可能。

❀ 營養需求

1. 確保全面適當的營養，膳食要適合孕婦的口味。

2. 確保優質蛋白質的供應。

3. 適當增加熱量的攝取。

4. 確保礦物質、維生素的供給，嘔吐症狀嚴重的人應多吃蔬菜、水果等鹼性食物，以預防發生酸中毒。

5. 應注意少量多餐，食物烹調要清淡，避免食用過分油膩和刺激性強的食物。

❀ 飲食原則

1. 各種雜糧米麵要搭配著吃，不要吃單一主食。

2. 蔬菜要吃新鮮、當季的，不要吃反季節蔬菜。因為反季節蔬菜一般是用藥物幫助種植的，對胎兒會產生影響。

3. 多吃新鮮的魚、肉，盡量不要吃鹹魚、鹹蛋及醃臘製品。

4. 多吃一點豆腐，因為它所含的蛋白質容易被人體吸收和利用。

5. 多吃含鐵量高的食物，如：黑木耳、葡萄乾、海帶。

寶寶的生理變化 ……

第1個月

▶ 卵子排出後與精子在輸卵管結合成受精卵，3天後到達子宮，並在子宮內固定下來，稱為著床。著床後受精卵便開始逐漸發育而成胚胎，進而成為胎兒。胚囊直徑約1公分，重量約1公克，約1塊小薄餅的重量。

▶ 胎兒已經成形，即胚胎，此時其大腦的發育已經開始，受精卵不斷分裂，一部分形成大腦，另一部分形成神經組織。

第2個月

▶ 心臟、延腦、腦、耳、鼻、眼、腸胃等器官漸漸形成。

▶ 心臟開始搏動。

▶ 脊椎骨雛形隱約可見。

▶ 腦部逐漸發達，出現頭形。

▶ 周圍絨毛組織漸漸發育形成胎盤。

胚囊直徑：約2～2.5公分；胚囊重量：約4公克，約1塊方塊砂糖的重量。

第3個月

▶ 胎兒的眼、耳、口、鼻等五官開始出現。

▶ 可由胎音器聽到胎兒心跳的聲音。

▶ 脊椎神經開始生長。

▶ 這個月已經形成外生殖器之形狀，但仍無法明確區分。

▶ 胎盤開始形成，一邊以絨毛與母體接連，一邊以臍帶與胎兒相連。

▶ 胚胎期的小尾巴消失了，手指和腳趾已經完全分開，一部分骨骼變得堅硬，出現關節雛形。

▶ 胎兒維持生命的器官，如：肝臟、腎、腸及呼吸器官已經開始工作。

身高約7～9公分，體重約15～30公克，約2顆小番茄的重量。

▶ 羊膜腔的羊水開始積聚在胎兒周圍，以後的胎兒即如浮在羊水中成長。

▶ 胸部、腹部漸漸增大；皮膚為蠟狀，內臟清晰可見，其他身體器官也漸漸形成。

生薑

生薑又名乾薑、白薑、均薑；其味辛，性溫，無毒；歸肺、胃、脾經。

食之有理！

生薑是傳統治療噁心、嘔吐的食物，有「嘔家聖藥」的美譽，對於緩解孕婦晨吐十分有效。妊娠噁心及嘔吐症狀通常發生在懷孕的前3個月，帶給孕婦許多麻煩，但藥物又會對胎兒有害，因此孕前期食用生薑是很有益處的。

生薑還具有促進血液循環、驅散寒邪的效用，孕婦食用生薑可以達到很好的預防、治療著涼、感冒的作用。

也有禁忌！

❶ 食用生薑不能過量，以免攝取大量薑辣素，導致口乾、咽痛、便祕等上火症狀。

❷ 爛薑、凍薑都不能吃，因為薑變質後會產生致癌物。

❸ 有內熱的人應慎用。

食譜推薦 Food Recommend　生薑羊肉粥 🍴

用 法
早、晚餐食用。

功 效
對身體虛寒、小腹冷痛、孕吐厲害者都有效。

材料｜
生薑30克，羊肉100克，白米適量，鹽3克，雞精粉、胡椒粉各少許。

製作方法｜

1　將生薑去皮切成米粒狀，羊肉切成小片，白米用清水洗淨。

2　取鍋子1個，倒入適量清水，待水開後，放入白米，用小火煮約20分鐘。

3　最後再放入羊肉片、薑粒，加入鹽、雞精粉、胡椒粉，用小火續煮30分鐘即可食用。

 宜

香椿

香椿又名香椿芽、香椿頭等，也被稱為「樹上蔬菜」。它顏色碧綠，鮮嫩清脆，具有獨特的香味，是深受人們青睞的春季佳蔬。其具特殊芳香味，鮮美可口，可炒食、醃製，也可用來調味，如：椿芽炒蛋、椿芽拌冷麵等。

食之有理！

香椿含豐富蛋白質，為蔬菜之冠，其抗氧化成分含量亦最高，是地瓜葉的數倍。其含有維生素E和性激素物質，有抗衰老和滋陰補陽的作用，故有「助孕素」的美稱；所含香椿素等揮發性芳香族有機物，可健脾開胃、增進食慾，對於因為早孕反應而食慾不振的女性來說是十分適宜的。

也有禁忌！

香椿為容易助火、生痰的食品，多食易誘使痼疾復發，故慢性疾病患者應少食或不食。

食譜推薦 Food Recommend

香椿蛋炒飯

材料｜
米飯250克，雞蛋2個，瘦肉30克，嫩香椿芽80克，火腿15克，鹽5克，花生油15克。

製作方法｜
1. 將米飯攪散，雞蛋打入碗內攪勻，瘦肉、嫩香椿芽、火腿切成小粒。

2. 鍋內燒油，放入雞蛋炒成粒，加入米飯、瘦肉、火腿，用中火炒透。

3. 最後加入嫩香椿芽，加入鹽，用小火炒幾分鐘即可食用。

用 法
當正餐食用。

功 效
含有豐富的蛋白質、醣類、多種維生素和礦物質等營養素，能為母體及胎兒補充養分。

宜

芝麻

芝麻又叫胡麻、脂麻、烏麻等，既可食用，又可做為油料。古代養生學家陶弘景對它的評價是「八穀之中，惟此為良。」在日常生活中，人們吃的多是芝麻製品——芝麻醬和香油。

食之有理！

芝麻富含蛋白質、胡蘿蔔素、維生素E、維生素B群及鈣、磷、銅、鋅、硒等微量元素，它不但具有濃郁的香氣，可促進食慾，更有利於營養成分的吸收。另外，芝麻醬中的鈣含量比蔬菜和豆類都高得多，僅次於蝦殼，經常食用對骨骼、牙齒都大有益處，對胎兒的發育也有良好的促進作用；芝麻含有大量油脂，因此也有很好的潤腸通便的功效，對孕期便祕的女性來說有很好的療效。

也有禁忌！

由於芝麻仁外面有一層稍硬的膜，把它碾碎後才能使人吸收到營養，因此整粒的芝麻應先加工後再吃。

害喜症狀嚴重時的進食要領

▽ **空腹時應該吃易於消化的食物**

　　早晨醒來後，在起床前吃一些易於消化的食物。例如，塗有果醬的麵包或溫牛奶。

▽ **大量補充水分**

　　應該多補充因嘔吐而流失的水分。

▽ **忌食高脂肪食品**

　　懷孕期間，最好利用米飯或麵包等碳水化合物來吸收必要的能量。

▽ **少量多餐**

　　食物的攝取要適量。有食慾時，不管什麼時候都要少吃，而且要細嚼慢嚥。

▽ **注意烹飪菜餚時的氣味**

　　食物的氣味容易導致嘔吐，所以要特別注意烹飪菜餚時的氣味。

山藥芝麻粥

材料｜
山藥15克，白芝麻、冰糖各120克，玫瑰糖5克，鮮牛奶200克，白米60克。

製作方法｜

1　將山藥去皮洗淨切料，白米用清水洗淨。

2　取鍋子1個，倒入適量清水，用中火燒開，加入白米，改用小火煮約30分鐘。

3　最後再放入山藥、白芝麻，加入冰糖、玫瑰糖、鮮牛奶，續煮15分鐘即可食用。

用 法 ————
早、晚餐食用。

功 效 ————
此粥香甜可口，能滋陰補腎、益脾潤腸，孕婦早
期食用不僅可以健身防便祕，還可以安胎。

宜

豆腐

豆腐不僅是味美的食品，而且具有豐富的營養。五代時人們就稱豆腐為「小宰羊」，認為其營養價值可與羊肉相媲美。俗話説「青菜豆腐保平安」，這正是人們對豆腐營養價值的讚語。現代科學分析證明，豆腐的營養和牛奶差不多，豆腐味道鮮美，不僅可以佐餐食用，且藥用價值亦頗高。

食之有理！

豆腐用石膏或鹵水製成，含鐵、鈣和鎂鹽較多，對小兒骨骼與牙齒生長有很大幫助；而鎂鹽對心肌有保護作用，故適合於冠心病患者食用；豆腐中的豆固醇還有降低總膽固醇的作用。　據報導，日本婦女以吃豆腐來代替吃飯，進行減肥健美。另外，豆腐中植物蛋白量豐富而且品質好，含糖也較少，最適合於糖尿病患者和肥胖者食用。豆腐可以説是高血壓、高血脂、心臟病、動脈硬化、糖尿病患者和肥胖者的有益食品。

現代醫學證明，豐富的大豆卵磷脂有益於神經、血管、大腦的生長發育，比起吃動物性食品或雞蛋來補養、健腦，豆腐有著極大的優勢。傳統醫學則認為，豆腐性微寒，味甘，熟食，能益氣和中、寬腸下氣、生津潤燥、清熱解毒、利尿消腫；做食，能清肺止咳、益胃止津。主治病後體虛、腸胃虛弱、氣短食少者、吐血、便血、乳少、痰喘浮腫；生食，適用於胃火上炎、口乾燥渴、腹脹或肺熱咳嗽、痰多等，尤其適合孕婦食用。

相剋食物！

✘ 蜂蜜、菠菜。

也有禁忌！

1 中醫認為豆腐性偏寒，胃寒者、易腹瀉、腹脹和脾虛者不宜多食。

2 嚴重消化性潰瘍、低碘者應禁食，黃豆含有皂角苷，可預防動脈粥狀硬化，也能促進碘的排泄。

蝦仁豆腐湯

材料 |

鮮蝦仁60克，嫩豆腐200克，雞蛋2個，青菜50克，生薑8克，花生油10克，鹽6克，雞精粉、黃酒各3克。

製作方法 |

1　將鮮蝦仁洗淨後用黃酒醃好，嫩豆腐切成塊，雞蛋去蛋黃留蛋白打散，青菜洗淨，生薑去皮切成粒。

2　加油熱鍋，放入薑粒炒香，倒入適量清湯，用中火燒開，放入鮮蝦仁、嫩豆腐、青菜滾透。

3　最後加入鹽、雞精粉、雞蛋白，攪勻即可食用。

用　法 ─────
佐餐食用。

功　效 ─────
富含植物蛋白質、胺基酸，鐵、磷、鉀、鈉等多種維生素。

菠菜

菠菜，又名菠棱菜、赤根菜、鸚鵡菜等，由於菠菜其根呈淺紅色，人們又取雅號「紅嘴綠鸚哥」。在台灣一年四季都可以買到新鮮的菠菜，但由於菠菜性喜溼冷，所以只有在每年10月到隔年4月，才算是真正的物美價廉。選購要訣以葉片略厚、鮮翠亮麗為首選。《本草綱目》中記載：食用菠菜可以「通血脈、開胸膈、下氣調中、止渴潤燥。」

🌱 食之有理！

菠菜味甘、性涼，具有養血止血、斂陰潤燥之功效。故適用於高血壓、糖尿病、肺癆、胃腸功能失調、慢性便祕、癆瘡患者。

菠菜富含多種維生素、蛋白質和礦物質。菠菜中胡蘿蔔素含量略高於胡蘿蔔；維生素C的含量比大白菜高2倍，比白蘿蔔高1倍。一個人一天只須吃100克菠菜就可滿足身體對維生素C的需求。胡蘿蔔素和維生素C還可抑制癌細胞的擴散。500克菠菜中的蛋白質含量相當於2個雞蛋。菠菜中所含的礦物質主要是鐵質和鈣質，尤其在根部含量較高。菠菜所含的酶對胃和胰腺的分泌功能有良好的促進作用，有助於消化，並能促進胰島腺分泌，幫助人體維護正常視力和上皮細胞的健康，增強抵抗傳染病的能力以及促進兒童生長發育等。菠菜對孕期缺鐵性貧血也有改善作用，令人臉色紅潤、光彩照人，因此而被推崇為養顏佳品。

🌱 也有禁忌！

脾胃虛弱、腎功能差的人最好不要吃菠菜。

孕婦需多攝取鐵質預防貧血

菠菜、大豆、豆腐等植物性食品中含豐富的鐵質。鐵是構成血液中血紅蛋白的重要元素，而血紅蛋白可以將母體內的氧氣透過胎盤輸送給胎兒。如果因為缺鐵而引起貧血就會導致身體虛弱，容易疲勞、呼吸困難等。如果富含鐵質的食品跟維他命C同時食用就能提高人體對鐵的吸收率。

雞絲燴菠菜

材料 |

雞胸肉100克，菠菜200克，水發冬粉50克，大蝦米15克，蒜10克，枸杞3克，花生油10克，鹽5克，芝麻醬少許。

製作方法 |

1　將雞胸肉切成絲，菠菜洗淨切成段，大蝦米用開水泡透，蒜切成小片，枸杞泡透。

2　鍋內燒油，放入蒜片、雞絲炒香，倒入適量清湯，加入大蝦米、枸杞燒開。

3　再放入菠菜、冬粉，加入鹽、芝麻醬，用中火煮透入味，盛入深盤內即成。

用法 ━━━━━
佐餐。

功效 ━━━━━
清香爽口，富含蛋白質、醣類、胡蘿蔔素、維生素以及鈣、磷、鉀等營養素，有滋陰平肝、幫助消化的作用。

宜 鴨肉

鴨肉不但味美，而且具有滋補作用。鴨屬水禽類，其性寒涼。鴨肉中含飽和脂肪酸比豬肉、牛肉、羊肉均少得多。如果人攝取飽和脂肪酸多了，會形成動脈粥狀硬化，所以，吃鴨肉比吃豬、牛、羊肉好。

🦆 食之有理！

鴨肉富含蛋白質、脂肪以及各種維生素等，歷來是滋補上品，其滋補作用優於雞肉。鴨肉性甘寒，有滋養身體、益氣養神、調胃和中的作用。民間常用鴨肉滋陰補虛、利尿消腫，對於高燒不退、虛弱少食、大便乾燥、水腫不消者尤有補益。

鴨肉是含維生素B群和維生素E比較多的肉類。中醫認為鴨肉味甘，性涼，無毒，歸入肺、腎經，有大補虛勞、清肺解熱、滋陰補血、定驚解毒、消水腫的功效，主治水腫脹滿、陰虛失眠、瘡毒，孕婦尤其是有水腫症狀者適量吃鴨肉是有益無害的。如欲養生療病，應選擇老鴨，諺語云：「爛煮老雄鴨，功比參耆大。」

🦆 也有禁忌！

因鴨肉性寒涼，故如因受寒引起的胃脘痛、腹瀉、腰疼、經痛等症的患者均不宜食鴨肉，另如陽虛脾弱、外感未清者，也應忌食。

🦆 相剋食物！

✘ 甲魚、核桃。

利用改變飲食的方法來減輕孕吐症狀

從懷孕兩個月開始就會出現噁心、渾身無力、嘔吐或挑食的症狀，而且還會一直處於煩躁的狀態，這就是孕吐，但這種狀況會因人而異。

如果因孕吐現象嚴重而不能進食時，比起按照一天三餐的飲食習慣，建議改為隨時隨地吃自己想吃的食物。例如，可以邊散步邊吃三明治，或者把便當分幾次吃等。空腹時孕吐現象會加重，所以要經常改變飲食的方法來改善孕吐。

白菜炒鴨片

材料 |

大白菜250克，鴨肉100克，生薑、大蒜各10克，花生油500克，鹽6克，太白粉適量，熟雞油2克，紹興酒3克。

製作方法 |

1　將大白菜洗淨切成片，鴨肉切成片（用紹興酒醃好），生薑去皮切片，大蒜切片。

2　鍋內燒油，待油溫為攝氏70度時，放入鴨肉片泡至八分熟時倒出。

3　鍋內留油，加入薑片、蒜片、大白菜片。

4　用中火炒至快熟時放入鴨肉片，加入鹽炒透，再加入太白粉水勾芡，淋入熟雞油，翻炒幾次，即可裝盤。

用　法 ───────
佐餐食用。

功　效 ───────
滋陰養胃，利水消腫。孕婦食用後能增強身體的免疫功能，進而提高抗病能力，有利於孕期保健。

栗子

栗子又名瑰栗、毛栗、風栗，為殼斗科，栗屬落葉喬木栗的種仁。果肉黃白色，粉質，味甜而香。果實秋季採收。栗樹果實落脫時，長滿了刺的殼頭便皸裂，形如戰栗，這是叫栗的由來。它是秋冬健康的堅果，素有「千果之王」的美譽，在國外它還被稱為「人參果」。栗子可代糧，與棗並稱為「木本糧食」。

食之有理！

栗子性味甘溫，入脾、胃、腎三經，有養胃、健脾、補腎、壯腰、強筋、活血化瘀、止血、消腫等功效。適用於腎虛所導致的腰膝痠軟、腰腳不遂、小便多和脾胃虛寒所引起的慢性腹瀉及外傷骨折、瘀血腫痛、皮膚生瘡、筋骨疼痛等症狀。

栗子所含的不飽和脂肪酸和多種維生素，有對抗高血壓、冠心病、動脈硬化等疾病的功效。栗子的營養成分豐富，脂肪少，蛋白質、澱粉與糖含量高，並含有多種維生素以及礦物質如：鈣、磷、鐵、鉀等元素。據科學實驗證實，栗子的營養豐富，其果實中含糖和澱粉高達70.1%；此外，還含有脂肪、鈣、磷、鐵和多種維生素，特別是維生素C、B和胡蘿蔔素的含量都較一般乾果高。

栗子有健脾養胃、補腎強筋、活血化瘀、止血的功效，孕婦常吃栗子不僅可以健身壯骨，還有利於骨盆的發育成熟，消除疲勞。

相剋食物！

✗ 牛肉──栗子中的維生素易與牛肉中的微量元素發生反應，削弱栗子的營養價值，而且不易消化。

也有禁忌！

脾胃虛弱、消化不良或患有風溼病的人不宜食用；另外，因栗子含澱粉較多，糖尿病人、怕胖的人不要吃過量。

栗子核桃粥

材料 |
栗子、核桃各50克，白米100克。

製作方法 |

1　將核桃去殼，栗子去皮。

2　兩者與白米一起煮成粥。

用 法
早、晚餐皆可食用。

功 效
對懷孕初期因脾腎不足所導致的
陰道出血、頭暈耳鳴、小便頻數等
症狀有很好的食療作用。

蓮藕

蓮藕俗名有蓮菜、蓮根、水華等，是蓮的地下莖，又叫「七孔菜」。其根狀莖橫走，粗壯，節間脹大，內有數縱行通氣孔道，節部縊縮，折斷時有「藕斷絲連」現象，是美味食品，具有香、脆、清、利等可口特點，採用炒、燒、炸等方法，可製成多種美味菜餚，還可製成精細潔白、口味純正的藕粉、蜜餞等滋補珍品。選購與食用蓮藕時，應選藕體肥大、有重量感、質地堅硬、節間距離適中、藕孔較小者為佳。

食之有理！

蓮藕含有澱粉、鞣質（單寧），維生素B、C，豐富的蛋白質以及鈣、鐵等礦物質，尤其以維生素C為多。蓮藕主治虛渴、病後口乾、解酒毒、熱性出血、小便不利、血淋尿血。適宜便血、月經過多、病後、產後、疲倦、消化道出血、心悸怔忡的人食用。

現代研究發現，在根莖類食物中，蓮藕含鐵量較高，對缺鐵性貧血有食療作用，鞣質成分有收斂及止血作用；膳食纖維則能刺激腸道。其含糖量低，而維生素C和食物纖維的量多，對於肝病、便祕、糖尿病等一切有虛弱之症的人都十分有益；其豐富的單寧酸具有收縮血管和止血的作用，對於孕婦極為適宜；還可以消暑清熱，也是孕婦夏季良好的祛暑食物。

也有禁忌！

1. 有糖尿病、脾胃虛寒、婦女痛經者不宜食用太多蓮藕。

2. 在烹製蓮藕時忌用鐵器，以免引起食物變黑。另外，蓮藕烹調時易變黑，可在煮前加幾滴醋在沸水漂燙一下，即可避免。

中醫師有話要說

蓮藕生、熟性質大不同，中醫認為生藕性味甘、寒；熟藕甘、溫。生吃鮮藕能清熱解煩、解渴止嘔；如將鮮藕壓榨取汁，其功效更甚；煮熟的藕性味甘溫，能健脾開胃、益血補心，故主補五臟，有消食、止瀉的功效。

食譜推薦 Food Recommend 薑粒拌脆藕

材料 |
生薑15克，嫩脆藕250克，香菜莖10克，香油、白糖各3克，鹽5克，白醋少許。

製作方法 |

1 將生薑去皮切成粒，嫩脆藕去皮切成片，用清水沖洗乾淨，香菜莖洗淨切成粒。

2 取深盒1個，加入藕片、薑粒、鹽、白糖、白醋拌勻，靜放5分鐘。

3 最後加入香菜莖粒、香油再拌勻，擺裝盤即可食用。

用 法 ———
佐餐。

功 效 ———
此菜含有豐富的碳水化合物、維生素C、蛋白質及鉀等礦物質，具有強身、止血的功能。

草莓

草莓又叫紅莓、楊莓、地莓等，是薔薇科草莓屬植物的泛稱，全世界有50多種，原產於歐洲。它的外觀呈心形，鮮美紅嫩，果肉多汁，酸甜可口，香味濃郁，不僅有色彩，而且還有一般水果所沒有的宜人芳香，是水果中難得的色、香、味俱佳者，因此常被人們譽為「果中皇后」。

食之有理！

草莓營養豐富，含有果糖、蔗糖、檸檬酸、蘋果酸、水楊酸、胺基酸，以及鈣、磷、鐵等礦物質和多種人體必需的維生素。其所含的胡蘿蔔素是合成維生素A的重要物質，具有明目養肝作用。

草莓還含有果膠和豐富的膳食纖維，可以幫助消化、大便通暢，尤其適合因懷孕而便祕的女性食用。

中醫師有話要說

中醫學認為，草莓性味甘酸、涼，能潤肺生津、健脾和胃、補血益氣、涼血解毒，孕婦常吃草莓，對頭髮、皮膚均有保健作用。

也有禁忌！

草莓中含有的草酸鈣較多，因此尿路結石病人不宜吃得過多。

懷孕媽咪水果的挑選

懷孕中可以多吃水果，可是水果中含有大量的糖分，所以要注意防止熱量的過度攝取。大致上，比較甜的香蕉、葡萄、鳳梨等水果熱量較高，而柑橘類和水分多的西瓜、柚子、草莓等水果的熱量較低。

草莓綠豆粥

材料 |
草莓250克，綠豆100克，糯米250克，白糖適量。

製作方法 |

1 將新鮮草莓洗淨切成粒，綠豆用溫水泡透，糯米洗淨。

2 取鍋子1個，倒入清水適量，用中火燒開，放入綠豆、糯米，改用小火煮。

3 最後加入草莓、白糖，續煮10分鐘，盛入碗內即可食用。

用 法
早、晚餐食用。

功 效
此粥色澤鮮豔，香甜可口，含有豐富的蛋白質、醣類、鈣、磷、鐵、鋅、維生素C等多種營養物質，對懷孕初期有嘔吐症狀的女性來說，不僅可以開胃健脾，還可以補充營養。

牛奶

牛奶是母牛為哺育剛出生的幼犢自乳腺所產生的分泌物，是國人營養調查中，常未能達到每日建議量（RDA）的營養素。行政院衛生署特為此做修正，將基本食物分類由原先的五大類食物，將「奶類」獨立出來，改成六大類食物。牛奶營養豐富、容易消化吸收、物美價廉、食用方便，是最「接近完美的食品」，稱其為「天然的營養聖品」、「最均衡的天然食品」，也有人稱其為「白色血液」，是最理想的天然食品。

食之有理！

牛奶中的蛋白質含有8種必需胺基酸，適宜於構成肌肉組織和促進健康發育；牛奶中的主要碳水化合物是乳糖，乳糖在人體內可調節胃酸，促進腸蠕動和助消化腺分泌的作用。牛奶中所含的鈣質，是人體鈣的最好來源。因為牛奶中的鈣在體內極易吸收，遠比其他各類食物中的鈣吸收率高。而且，牛奶中鈣與磷比例合適，是促進兒童與青少年骨骼、牙齒發育的理想營養食品。牛奶中含有豐富的維生素，如：維生素A、C、D以及維生素B群。

相剋食物！

✗ 橘子──牛奶中的蛋白質與橘子中的果酸和維生素C結合而凝固成塊，不僅影響消化吸收，而且會使人腹脹、腹痛、腹瀉。

✗ 醋──同吃會引起腹部結塊。

✗ 韭菜──牛奶中富含鈣，韭菜中富含草酸，二者同吃會影響鈣的吸收。

也有禁忌！

1 潰瘍病人忌喝牛奶。

2 腎結石病人不宜在睡前喝牛奶。

中醫師有話要說

中醫學認為，牛奶味甘，性微寒，具有生津止渴、滋潤腸道、清熱通便、補虛健脾等功效，十分適合需要大量營養素的孕婦食用。

白菜奶汁湯

材料 |

白菜250克，枸杞3克，珍珠菇20克，牛奶100克，鹽5克，花生油10克。

製作方法 |

1　將白菜洗淨切好，枸杞、珍珠菇洗淨。

2　鍋內燒油，倒入適量清湯，加入牛奶，用小火燒開。

3　放入白菜、珍珠菇，滾至白菜軟身時，再放入枸杞，加入鹽煮透即成。

用 法
佐餐。

功 效
此菜色澤誘人，奶香濃郁，不僅能使人食慾大增，還能補充豐富的營養。

宜

絲瓜

絲瓜又名菜瓜、彎瓜、水瓜、天羅、布瓜、絲夾、角瓜，因絲瓜老化後，內部的組織會成纖維狀而得名，為葫蘆科植物的鮮嫩果實，果實嫩時皮色青綠，味道鮮美，歷來被當作夏令佳蔬。原產於印度，台灣也早已在三百餘年前就有人在栽培。

🍌 食之有理！

絲瓜營養豐富，在瓜類蔬菜中，其蛋白質、澱粉、鈣、磷、鐵以及各種維生素（如：維生素A、維生素C）的含量都比較高，所提供的熱量僅次於南瓜。絲瓜還含有皂苷、絲瓜苦味素、多量的黏液、瓜胺酸、脂肪等。這些營養元素對身體的生理活動十分重要。瓜鎮咳、袪痰、利尿、治痘瘡；葉莖治瘡毒；絲瓜水鎮咳、健胃、解毒。孕婦宜吃絲瓜，因為它具有清熱化痰、涼血解毒、通經絡、行血脈、利尿等功效。而絲瓜所含的皂苷成分有強心作用，夏季常食可去暑除煩、生津止渴，既能補充營養，又有清熱解暑的功效。

中醫師有話要說

中醫認為絲瓜有點苦、酸，微寒，絲瓜絡清涼性，活血化瘀、通經、解毒藥，又為止痛、止血藥。用於腸出血、赤痢、婦女子宮出血、睪丸炎腫、痔瘡流血等。

🍌 也有禁忌！

1 脾胃虛寒的人不能吃絲瓜。

2 絲瓜性寒涼，孕婦不能過量食用絲瓜。

孕期宜充分攝取蛋白質

　　蛋白質對乳房組織的構成和胎兒、子宮、胎盤的成長、母體紅血球的產生等是不可缺少的。因此在懷孕期必須攝取大量的蛋白質。雖然肉類和蔬菜裡都含有蛋白質，但是動物性蛋白質對產婦來說更好。牛肉、海鮮、雞蛋、牛奶、乳酪裡都含有豐富的蛋白質，而且小麥、白米以及其他穀類、扁豆、豆漿、栗子等當中也含有少量的蛋白質。

　　食用豆腐或乳酪是蛋白質的攝取方法之一，還可以透過早餐中的穀類或牛奶等來輕鬆攝取植物蛋白和動物蛋白。另外，還可以透過吃植物性蛋白的混合物來攝取一切所需的蛋白質，這時只要吃花生或各種含有植物性蛋白的蔬菜即可。

食譜推薦 Food Recommend

絲瓜瘦肉湯

材料 |

嫩絲瓜200克，瘦豬肉100克，小番茄約5～6顆，紅棗、生薑、花生油各10克，鹽6克。

製作方法 |

1 將嫩絲瓜去皮切成片，瘦豬肉切成片，紅棗泡透，生薑去皮切成片，小番茄洗淨、對切。

2 鍋內燒油，放入薑片爆香鍋，倒入清湯適量，用中火煮開。

3 放入紅棗、瘦豬肉，煮至八分熟，然後再放入絲瓜片和小番茄，加入鹽，續煮3分鐘後盛入碗內即可。

用 法 ————
佐餐。

功 效 ————
清熱利腸、解暑除煩。

豬肝

豬肝含有豐富的營養物質，具有顯著的保健功效，也是最理想的補血佳品。

食之有理！

現代營養學認為，豬肝可以調節和改善貧血病人造血系統的生理功能，對於孕期因營養素補充不足而貧血者有很好的補益作用。

豬肝味甘、苦，性溫，歸肝經。豬肝含蛋白質、脂肪、醣類、鈣、磷、鐵，較多的維生素A、B_1、B_2、C，菸鹼酸等；其維生素A的含量遠遠超過奶、蛋、肉、魚等食物，具有維持正常生長和生殖機能的作用，能保護眼睛維持正常視力，預防眼睛乾澀、疲勞；能使肌膚保持健康的顏色；能補充維生素B_2，這對補充身體重要的輔酶，完成身體對一些有毒成分的排毒有重要作用；其所含的維生素C和微量元素硒能增強人體的免疫力。由此可見，孕婦食用豬肝對身體具有保健作用。

相剋食物！

✘ 花椰菜──花椰菜中含有大量纖維質，會與豬肝中的鐵、銅等微量元素形成螯合物，降低人體對這些營養素的吸收率。

✘ 番茄──番茄富含維生素C，豬肝能使維生素C氧化脫氧，使其失去原來的抗壞血酸功能。

也有禁忌！

豬肝含有大量的膽固醇，因此不宜吃得太多，高膽固醇血症、肝病、高血壓患者特別要少吃。

在懷孕過程中，為什麼會經常放屁或打嗝呢？

會經常放屁是由於大腸內充滿氣體產生的現象，而打嗝則是胃部的氣體逆流產生的現象。一般情況下，如果患有便祕，就會容易出現放屁或打嗝的症狀，因此要注意預防便祕。在日常生活中，最好少吃花椰菜、洋蔥、小白菜、大豆等易產生氣體的食物。

麻辣豬肝

材料 |

鮮豬肝250克，青、紅椒各2個，生薑15克，大蒜10克，花生油25克，花椒油3克，醬油2克，鹽3克。

製作方法 |

1 將豬肝切成薄片，青、紅椒去籽切成片，生薑去皮切片，大蒜切片。

2 鍋內燒油，放入薑片、蒜片，青、紅椒片，用中火炒至快炒熟時再放入豬肝，加入鹽、花椒油、醬油，用大火快炒，起鍋即成。

用 法

佐餐。

功 效

此菜富含優質蛋白質、脂肪、碳水化合物、礦物質、維生素等，適合孕婦食用，但因口味麻辣孕婦要適量食用。

黑木耳

黑木耳是一種營養豐富的食用菌，它的別名很多，因生長於腐木之上，其形似人的耳朵，故名木耳；又似蛾蝶玉立，故名木蛾；因它的味道有如雞肉鮮美，故亦名樹雞、木機（古南楚人謂雞為機）；重瓣的木耳在樹上互相鑲嵌，宛如片片浮雲，又有雲耳之稱。有「素中之葷，菜中之肉」的美名。

食之有理！

黑木耳味甘，性平，有滋養、益胃、活血化瘀、潤燥的功效，適用於痔瘡出血、便血、痢疾、貧血、高血壓、便祕等症狀。國外科學家發現，黑木耳能減低血液凝塊，有預防冠心病的作用。很少人知道黑木耳的蛋白質含量是米、麵、蔬菜等所無法比擬的，其維生素B_2的含量是米、麵和大白菜的10倍，比豬、牛、羊肉高3～5倍；且鈣的含量是肉類的30～70倍，鐵質比肉類更高達100倍之多。在黑木耳的蛋白質中含有多種胺基酸，尤以賴胺酸和亮胺酸的含量最為豐富。

黑木耳中含有一種叫做「多醣體」的物質，對腫瘤能產生中解作用，並有免疫特性。癌症病人在使用了這種多醣體後，體內球蛋白的組成成分有顯著增加，進而增強了抗體。

中醫師有話要說

中醫學認為黑木耳有滋潤強壯、清肺益氣、補血活血、鎮靜止痛等功效，可用來治療腰腿疼痛、手足抽筋麻木、痔瘡出血等病症常用的配方藥物。

相剋食物！

✗ 茶——黑木耳中含有鐵質，茶中含有單寧酸，兩者同吃會降低人體對鐵的吸收，嚴重時會導致貧血。

也有禁忌！

1 由於黑木耳有活血抗凝的作用，所以有出血性疾病的人不宜食用。

2 乾木耳烹調前宜用溫水泡發，泡發後仍然緊縮在一起的部分不宜吃。

3 黑木耳有一定的順腸作用，故脾虛消化不良或大便稀薄者應少吃。

木耳炒金針

材料 |

水發黑木耳100克，水發金針菜200克，韭菜花20克，大蒜10克，花生油15克，鹽5克，白糖1克，太白粉適量。

製作方法 |

1. 將黑木耳去蒂切成絲，洗淨；金針菜切成絲；韭菜花洗淨切成段；大蒜切小片。

2. 鍋內燒油，放入蒜片、黑木耳、金針菜，用中火炒香。

3. 最後加入韭菜花，加入鹽、白糖炒至入味，再用適量太白粉水勾芡，翻炒幾次，起鍋裝盤即成。

用 法 ———
佐餐。

功 效 ———
孕婦懷孕早期常吃此菜有健腦、安神作用，利於胎兒腦組織的發育。

蘑菇

蘑菇為食用菌之王，又名白蘑菇、洋蘑菇等，是黑傘科植物蘑菇的子實體，味鮮可口，是居家及筵席珍品。西方人稱之為「上帝的食品」，是國際上公認的「保健食品」、「增智食品」；其外形呈扁半球形，潔白，表面光滑，菌肉肥厚，營養豐富，味道鮮美。

🍄 食之有理！

據分析，每100克乾蘑菇含蛋白質36.1克～40克、脂肪3.6克、碳水化合物31.2克、礦物質14.2克，維生素含量高於一般的蔬菜、水果和肉類，胺基酸的組成也較為完整。

蘑菇中含有多種抗病毒成分，這對輔助治療由病毒所引起的疾病有很好效果；蘑菇富含微量元素硒，能預防過氧化物損害身體，降低因缺硒所引起的血壓升高和血黏度增加，調節甲狀腺的工作，提高免疫力；蘑菇含有大量植物纖維，具有預防便祕、促進排毒、預防糖尿病以及降低膽固醇含量的作用。因此，對需要大量營養素而又要增強身體免疫力的孕婦來說，蘑菇的確是一種健康食品。

🍄 也有禁忌！

1️⃣ 烹製蘑菇時，不用放味精或雞精。

2️⃣ 最好買新鮮蘑菇，市場上買回來泡在液體中的袋裝蘑菇，在食用前一定要多洗幾遍，以去除某些化學物質。

孕婦需纖維質含量豐富的食品

　　由於荷爾蒙的影響和子宮的壓迫，腸道的蠕動會變慢，所以容易導致便祕。為了預防和消除便祕，平時除了要充分攝取水分，也要多食用富含纖維質的食品。

　　制定食譜時，要多加入纖維質含量豐富蔬菜與水果。像蘑菇、馬鈴薯、地瓜、大豆等蔬菜與香蕉、蘋果、葡萄等水果，都含有豐富的纖維質。

蘑菇燒茄子

材料 |

嫩茄子300克，蘑菇、毛豆各50克，大蒜10克，花生油15克，鹽6克，醬油3克，太白粉適量。

製作方法 |

1 將嫩茄子去皮切成中丁，蘑菇切片，毛豆用開水先煮熟，大蒜切片。

2 鍋內燒油，放入蒜片、茄子丁，用中火炒至茄子軟身時再加入蘑菇、毛豆，倒入少許清湯。

3 最後加入鹽、醬油，以小火燒透，用適量太白粉拌勻，起鍋裝盤即成。

用 法 ——————
佐餐。

功 效 ——————
消腫止痛，對孕婦懷孕早期的便祕、水腫等症狀有很好的緩解作用。

白蘿蔔

宜

白蘿蔔又名萊菔、羅服，是人們冬季經常食用的蔬菜。它既可用於製作菜餚，又可當作水果生吃，還可醃製泡菜、醬菜，營養豐富。白蘿蔔的閩南語稱作「菜頭」，除了好吃，也是吉祥的象徵。李時珍在《本草綱目》中盛讚白蘿蔔為「蔬中最有利益者也」。

食之有理！

白蘿蔔性味辛、甘、涼。有清熱解毒、生津止渴、利尿通便、健胃消食、化痰止咳及解酒等功效，含蛋白質、碳水化合物、脂肪、纖維質、維生素C、B群、鈣、磷、鉬及鐵等營養素，具有潤澤頭髮以及減少癌變等藥理作用。

現代醫學研究發現，蘿蔔有很好的食用、藥用價值，其所含的熱量較少、纖維質較多，孕婦吃後易產生飽腹感；它能由人體自身產生干擾素，增加孕婦的身體免疫力；所含芥子油和纖維質可促進胃腸蠕動，有助於體內廢物的排出，緩解便祕症狀；可消積滯、化痰清熱、下氣寬中、解毒；此外，蘿蔔還有澱粉酶和氧化酶等人體所需的成分，常吃蘿蔔對孕婦十分有益。

相剋食物！

✘ 紅蘿蔔——白蘿蔔的維生素C含量極高，對人體健康非常有益，而若與胡蘿蔔混合就會使維生素C喪失殆盡。其原因是胡蘿蔔中含有一種叫抗壞血酸的解酵素，會破壞白蘿蔔中的維生素C。

✘ 橘子——蘿蔔和橘子幾乎同時上市，極易造成兩者同吃的機會。當人體攝取蘿蔔後，會迅速產生一種叫硫氰酸鹽的物質，並很快在人體內代謝產生硫氰酸。橘子中的類黃酮物質在腸道轉化成羥苯甲酸及阿魏酸，它們可加強硫氰酸抑制甲狀腺的作用，進而誘發或導致甲狀腺腫，所以，蘿蔔、橘子不宜同吃。

也有禁忌！

1 蘿蔔為涼性蔬菜，陰盛偏寒體質者、脾胃虛寒者等不宜多吃。

2 胃及十二指腸潰瘍、慢性胃炎、單純甲狀腺腫、先兆流產、子宮脫垂等患者忌吃。

健脾蘿蔔湯

材料 |

白蘿蔔200克，豬肚1個，雞肉150克，酸菜50克，生薑10克，鹽8克，雞精粉少許，胡椒粉少許。

製作方法 |

1　先將蘿蔔去皮切成塊，豬肚、雞肉切塊，酸菜、生薑切片。

2　鍋內燒水，待水開後，放入豬肚，用中火煮去血水，撈起備用。

3　取鍋子1個，放入白蘿蔔塊、豬肚、雞肉、生薑、蔥、酸菜，加入鹽、雞精粉、胡椒粉，倒入適量清水，加蓋，煮約2小時即成。

用 法
佐餐。

功 效
此湯清淡可口，略有酸味，孕婦食用此湯能增進食慾、幫助消化、減緩早孕反應。

花生

花生又名落花生、及地果、唐人豆，為蝶形花科植物花生的種子。因其善於滋養補益，有助於延年益壽，所以一般又稱其為「長生果」。花生，素稱「乾果之王」。它味美可口、營養豐富，既可做為乾鮮果品食用，又可榨油，還可入藥治病。花生的仁、種皮、果殼、葉、莖、油都是珍貴的藥材。

🥜 食之有理！

花生含有豐富的蛋白質，容易被人體吸收，是理想的高蛋白食品。其中所含脂肪大部分為不飽和脂肪酸，它們和花生油脂中的菸鹼酸，均具有降低膽固醇和使肌膚潤潔細膩之功用。它還含有菸鹼酸、核黃素、卵磷脂、多種維生素以及鈣、磷、鐵等微量元素。維生素K是一種凝血素；脂溶性維生素E與生育和長壽關係密切；卵磷質和腦磷脂是神經系統所需的重要物質。

花生中含有豐富的不飽和脂肪酸，能促進體內膽固醇的代謝和轉化，增強其排泄功能，所以它具有降低血膽固醇的作用，可預防動脈粥狀硬化和冠心病。花生仁和花生殼有降血壓、降血脂的作用，可用於防治高血壓。

花生味甘，性平。生用偏涼，油炸、炒用偏溫燥。入脾、肺經。功能有補中和胃，治胃納呆反胃、乳少腳氣水腫；炒用治冷積腹痛、潤肺止咳，治燥咳、勞咳，行血止血，對懷孕初期容易有嘔吐、水腫等症狀的孕婦來說有很好的調養作用。

🥜 相剋食物！

✘ 香瓜

🥜 也有禁忌！

1️⃣ 花生含蛋白質和脂肪較多，一次不能吃得過多，特別是發熱、胃腸虛弱及大便泄瀉的人更不宜多吃。體寒溼滯及腸滑便瀉者不宜服用。

2️⃣ 花生容易感染黃麴毒素，儲存時要乾燥，低溫防霉，帶殼的花生較好保存。發現霉變顆粒，須及時清除。

花生燉豬腳

用 法————————
佐餐。

功 效————————
利水消腫、止血生乳。

材料 |

豬腳1隻，花生仁100克，生薑10克，香菇15克，鹽8克，雞精粉2克，紹興酒3克，胡椒粉少許。

製作方法 |

1　將豬腳處理乾淨，剁成塊；花生仁用溫水泡透，生薑切成片，香菇去蒂洗淨。

2　鍋內燒水，待水開後，放入豬腳，用中火煮去血水，撈起備用。

3　取鍋子1個，放入豬腳、花生仁、生薑、香菇，加入鹽、雞精粉、胡椒粉、紹興酒，倒入適量清湯，加蓋，煮約2小時後即可食用。

1~3個月 懷孕初期忌吃食物

 龍眼

龍眼正名叫做桂圓，它圓如彈丸，果肉外形和荔枝類似。俗諺云：「荔枝好吃皮粗粗，龍眼好吃核黑黑。」龍眼成熟於夏季，果殼淡黃色或褐色，果肉白色透明，汁多味甜。去殼的龍眼還可加工焙晒成龍眼乾（即桂圓肉），是一種具有鎮靜、滋補功能的藥材。

忌之有因

雖然龍眼具有豐富的營養成分，中醫也認為龍眼有補心安神、養血益脾的功能，但是其屬於大熱食物，凡是陰虛內熱體質及患有熱性疾病的人都不能食用。而女性懷孕後大多陰血偏虛，陰虛則產生內熱，因此孕婦往往有大便乾燥、口乾、胎熱等症狀。此時吃龍眼不僅不能保胎，反而容易導致漏紅、腹痛等先兆流產症狀。

解決方法

已經食用者應及時停止食用龍眼，並在醫生建議下適當地服用中、西藥安胎，可以避免流產。

 益母草

益母草為唇形科植物益母草的乾燥地上部分，夏季莖葉茂盛、花未開或初開時採割，晒乾或切段晒乾。其味苦、辛，性微寒，歸肝、心、腎經。

忌之有因

中醫認為益母草具有活血化瘀、利尿消腫的功效，對無論有孕、無孕女性子宮有明顯的興奮作用，會使子宮強有力地收縮，對胎兒的危害十分大，因此孕婦一定要禁用益母草及其相關藥物。

忌 山楂

　　山楂又名山裡紅、紅果、胭脂果，有很高的營養和醫療
價值。因老年人常吃山楂製品能增強食慾、改善睡眠，保持
骨和血中鈣的恆定，預防粥狀動脈硬化，使人延年益壽，故
山楂又被人們視為「長壽食品」。

▌忌之有因

　　女性在懷孕以後，體內會發生一連串的生理變化，出現食慾減退、噁心、嘔吐等早
孕反應，所以孕婦常常要透過吃酸味食物來彌補胃酸的不足，以緩解早孕症狀。但是並
不是所有的酸味食品都適合孕婦食用，尤其是山楂，山楂會刺激子宮收縮，引發流產，
因此孕期應禁食山楂。

忌 西瓜

　　西瓜又名寒瓜、水瓜、夏瓜，堪稱為「瓜果之
王」，不但水分多、能解渴，還具美白與利尿等功能；
它又名「天生白虎湯」，性甘、寒，無毒，有清熱解
暑、除煩止渴、利小便的功用，可治暑熱煩渴、熱盛津
傷、小便不利、口瘡等症狀。西瓜因含有糖、鉀鹽，維
生素C、B，磷酸、蘋果酸等多種酸性物質，可降低血
壓和治療腎炎。

▌忌之有因

　　中醫認為西瓜屬於寒涼食品，孕婦食用後會刺激子宮，使其收縮頻率加快，對胎
兒有嚴重影響，還會引起孕婦頭暈、心悸、嘔吐等症狀，因此不宜。另外，西瓜含糖量
高，妊娠合併糖尿病患者一定要禁食。

 甲魚

　　甲魚又稱鱉，俗稱水魚、圓魚，肉味鮮美，富有營養，對於心臟病、胃腸病、飲食不振、便祕、肺病、貧血、痔疾等有功效，血液可供補血劑，甲殼及膽可製藥，用途很廣。自古以來即被視為「滋補之王中王」，其肝臟尚含有多種生化活性因子，可促進新陳代謝，是延年益壽的主要因素，更是體力透支、過度勞動者最佳營養補給品。

▎忌之有因

　　甲魚屬於鹹寒食物，有很強的通血活絡、消結散瘀的作用，孕婦食用後可能導致流產，尤其是甲魚的殼，因此孕婦一定要禁食。

酸性食物

▎忌之有因

　　懷孕早期孕婦通常會出現噁心、嘔吐等早孕症狀，因此許多人愛吃酸性食物；但這是不利於健康的，因為妊娠早期胎兒的酸度低，從母體攝取的酸性物質容易在胎兒組織中大量聚集，影響胚胎細胞的正常分離增殖及發育生長，而導致胎兒畸形。所以，孕婦在懷孕2週內不要吃酸性藥物、酸性食物及酸性飲料等。

　　維生素C、阿斯匹靈等屬於酸性藥物，會使人體內鹼度下降，引起身體疲乏、無力。長時間的酸性體質，不僅容易使孕婦生病，而且會影響胎兒正常、健康的生長發育。

忌 酒

忌之有因

懷孕期間孕婦即使飲少量酒，也會對胎兒的生長發育產生影響；如果飲酒過量，則會使胎兒畸變，影響胎兒智力及生理的發展，因此孕期應當避免飲酒。

忌 海帶

海帶又名昆布、江白菜，具有很高的營養保健價值，被譽為「海上蔬菜」、「長壽菜」、「含碘冠軍」。醫學研究發現，海帶中的鈣具有預防血液酸化作用，而血液酸化正是導致癌變的因素之一。海帶中的有機碘有類激素樣作用，能提高人體內生物活性物質功能，並促進胰島素及腎上腺素質激素的分泌，提高脂蛋白酯酶活性，促進葡萄糖和脂肪酸在肝臟、脂肪、肌肉組織的代謝和利用，進而發揮其降血糖、降血脂作用。海帶含有豐富的鉀，鉀有平衡鈉攝取過多的作用，因此能防治高血壓。

忌之有因

海帶中富含碘，孕婦如果過量食用海帶，攝取碘過量會引起胎兒甲狀腺發育障礙，影響胎兒的正常發育，嬰兒出生後可能出現甲狀腺功能下降症狀。

也有適宜

同樣也是因為海帶中富含碘，而孕婦缺碘也會影響胎兒發育不良，造成胎兒智力下降，因此孕婦一定要「適當」地吃海帶。

PART * 3
4～6個月

懷·孕·中·期·飲·食·宜·忌

懷孕中期是整個懷孕期間最穩定的時期。為了胎兒的成長,應該維持充分而均衡的飲食習慣,而且要透過適當的運動為生活注入活力。此時也應該全面開始進行胎教。對胎兒來說,媽媽健康的身體和愉悦的心情是最重要的。

準媽媽的保健須知

懷孕中期是整個懷孕期間最穩定的時期。孕婦身體開始會有明顯的變化，還能感覺到胎動，會開始真正沉浸在孕育著新生命的喜悅中。

生理特徵

第 4 個月

　　本月是妊娠中期的第1個月，害喜症狀減輕、情緒轉好、食慾增加，此期應注意均衡飲食，攝取足夠的營養，如：葉酸、鈣質；胃口增大，體重增加約2.5～4.0公斤。

　　子宮明顯增大，約一正常嬰兒頭部般大小。因子宮漸漸變大，而引起腰痠、背痛，下腹部的隆起比較明顯。

☆ 陰道分泌物、腹部壓迫感和頻尿現象仍然存在。

☆ 基礎體溫開始下降，呈現低溫狀態。

☆ 胎盤已經完成，流產、死產機率降低。

☆ 有的準媽媽可能出現便祕、牙齒受損、齲齒、牙痛、小腿抽筋或腳發麻的症狀。

子宮底高度約15公分，羊水量約200c.c.。

第 5 個月

　　體態開始變得豐滿，臀部變得寬大，腰圍變得粗壯，開始出現全身浮腫現象，下腹部明顯地隆起。

☆ 乳房及乳頭的腫脹愈來愈明顯，偶爾會出現黃色的乳汁，甚至會痛。

☆ 子宮脹大造成下腹部疼痛。

☆ 分泌物增多、頻尿、腰痠背痛、便祕、痔瘡、下肢浮腫、靜脈曲張等不適更加明顯。

☆ 食慾旺盛，體重迅速增加，體重增加約3.5～6.0公斤。

☆ 大部分人已能感覺到胎動。

成年人的頭部；子宮底高度約16～20公分，羊水量約400c.c.。

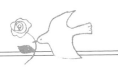

第6個月

乳房外形更為飽滿，有少量稀薄乳汁分泌。

子宮增大使整個腹部都鼓了起來，此時已能看到腹部的隆起。下半身的靜脈受到子宮的壓迫，容易形成痔瘡或靜脈瘤。子宮高度已超出肚臍之上，有時會因壓迫到膀胱，導致母親發生頻尿現象。

☆ 腰部變得更加粗壯，使平時的動作較為吃力和遲緩。

☆ 陰道分泌物增多。

☆ 大部分準媽媽會出現貧血症狀。

☆ 體重會增加約4.5～9.0公斤。

子宮底高度約20～24
公分，羊水量約500c.c.。

❀ 心理特徵

隨著孕期的持續進行，準媽媽的情緒起了很大的變化，懷孕初期出現的不適症狀逐漸消失了，食慾和睡眠也恢復了正常。

在這個時期已經能感覺到胎動，對準媽媽來說，真是一件值得高興和欣慰的事。寶寶確確實實地活著，而且已經能以自己的能力向媽媽做自我介紹了。懷孕失敗的恐懼感消除了，取而代之的是幸福和自豪的感覺。

通常來說，懷孕中期這3個月是孕婦心理上的黃金時期。

❀ 運動保健

此時活動量仍然不宜太大，以戶外散步、做簡單體操等為宜。有先兆流產、先兆子癇、胎兒子宮外生長遲緩症狀的孕婦，絕對不能運動。

❀ 性保健

懷孕3個月以後，胎盤逐漸形成，妊娠進入穩定期，早孕反應已經結束，孕婦的心情開始變得舒暢，由於激素的作用，性慾有所提高，胎盤和羊水可形成雙重屏障，緩衝外界的刺激，使胎兒得到有效的保護。因此，懷孕中期適度地進行性生活，有益於增進夫妻之間的感情和促進胎兒的健康發育。

此時的性生活以每週1～2次為宜。但是一定要注意，懷孕期間的性生活應該是建立在情緒胎教的基礎上，舒心的性生活才能充分地將愛心和性慾融為一體。

營養需求

在這個階段，孕婦需要保持良好的食慾，因為胎兒發育所需的營養是多方面的，如果孕婦偏食、嗜食或亂用藥物的話，有可能造成胎兒發育所需的營養缺乏，導致多種先天性疾病。

懷孕中期孕婦所需熱量比平時高10％～20％，但也不能因此就過量地食用富含脂肪的食物。

> **懷孕中期營養的攝取重點**
> - 飲食多樣化，食量均勻，不偏食、挑食。
> - 多吃新鮮蔬菜和水果，能供給維生素C、A和礦物質，增加腸蠕動，預防便祕。
> - 盡量避免吃油膩、難以消化、太鹹、生冷、含酒精、有刺激性的食物。

飲食原則

1. 必須有充足的蛋白質、醣、脂肪、水分、維生素、鈣、磷、鐵等營養物質的全面吸收。
2. 應安排富含鐵質和高能量的飲食。
3. 主食可多樣化，除了吃一般的米麵食品外，還可適量吃些小米等。
4. 副食應吃高蛋白、低脂肪的食物，例如：雞肉、雞蛋、山藥、豆製品、蝦、雞肝、牛肉、牛奶、鱔魚等。
5. 為了加強營養，孕婦可從第4個月起逐漸加服鈣片、魚肝油、葉酸、維生素B_1，但必須要在醫生指導下服用。

寶寶的生理變化……

第4個月

▶ 胎兒內臟的形態基本完成，其功能開始發揮。腦部器官記憶功能此時期已開始發展。

▶ 條件反射能力加強，手指開始能與手掌緊握，腳趾和腳底也可以彎曲；手指上出現了獨一無二的指紋印。

▶ 皮膚厚度增加，開始長出一層薄絨毛。

▶ 可以在子宮裡做許多動作了，如：握緊拳頭、皺眉頭、做鬼臉、吸吮自己的大拇指，他還能聽到子宮外的聲音。

▶ 開始打嗝，這是胎兒呼吸的先兆。

▶ 胎盤發育完全成熟，胎兒由胎盤和臍帶連結，懷孕進入穩定期。

身高約10～20公分，體重約100～120公克，約1顆檸檬的重量。

第5個月

▶ 胎兒的循環系統和尿道完全進入正常的工作狀態，肺也開始工作，能夠不斷地吸入和呼出羊水。

▶ 骨骼幾乎全部是橡膠似的軟骨，而且會變得愈來愈硬，脊髓上開始出現了能夠保護骨骼的物質——「髓磷脂」。

▶ 開始長出頭髮，並持續、快速地增長。長出指甲。

▶ 骨骼快速發育，手臂與腿成比例。有胎便出現。

▶ 活動頻繁，手腳可以自由地活動，因此可以感覺到胎動。

▶ 感覺器官開始按區域迅速發育，神經元分成各個不同的感官，味覺、嗅覺、聽覺、視覺和觸覺都開始在大腦裡的專門區域內發育。

身高約20～30公分，體重約200～350公克，約1串葡萄的重量。

第6個月

▶ 皮下脂肪漸漸增加，但皮膚還很薄且多皺，身體上覆蓋著一層白色、滑膩的物質，即胎脂；頭髮漸漸長出，眉毛、睫毛已長成。

▶ 嘴脣、眉毛和眼瞼清晰可見，視網膜也已形成，有微弱的視覺。

▶ 在牙齦下面，恆牙的牙胚開始發育；出現飢餓感。

▶ 聽力已經形成，對外界音響的反應比較敏感。

此期胎兒身高約25～35公分，體重約600～800公克。

雞肉

雞屬家禽類，歷來被醫學與營養學家列為上品，因為雞被飼養雜交的關係，品種很多，形體大小、毛色不一。整隻雞全雞除去毛與爪甲，幾乎無一不能烹飪料理或入藥的。

食之有理！

雞肉每100公克含有水分74%、蛋白質22%、鈣13毫克、磷190毫克、鐵1.5毫克等，含有豐富的維生素A，還含有維生素C、E等。雞肉不但含脂肪量低，且所含的脂肪多為不飽和脂肪酸，為小兒、中老年人、心血管疾病患者、病中病後虛弱者理想的蛋白質食品。孕婦吃雞肉，也可以具有明顯的補益作用。

也有禁忌！

感冒患者要慎於食用雞肉，因為感冒時常伴有發燒、頭痛、乏力、消化能力減弱等症狀，應以吃清淡、易消化的食物為最好。

中醫師有話要說

中醫學認為雞肉性味甘、溫，入脾、胃經，可用於食少、下痢、消渴、水腫、小便頻數等症狀的治療。

懷孕中後期出現小腿痙攣

在晚上如果突然出現小腿痙攣的症狀，會非常痛苦。一般來說，在懷孕中期和懷孕後期經常會出現這種症狀。這都是因為缺乏鈣和鎂，所以平時就應該積極地攝取富含鈣、鎂成分的食品或營養品。

肌肉痙攣時，要先向後彎曲腳踝，使腳尖朝向臉部，然後溫柔地按摩肌肉。另外，在距離牆壁30cm的地方，分開雙腳30cm左右，然後伸直雙臂，用手掌推牆壁，同時彎曲手臂，把臉部貼近牆壁，最後慢慢地伸直手臂。用同樣的方法反覆運動5～10次。如果經常出現小腿痙攣，就應該抬高腿部，並且利用孕婦專用高彈力褲襪來促進血液循環，然後旋轉腳踝和腿部，盡量活動小腿肌肉。

雞肉皮蛋粥

材料 |
雞肉30克，白米200克，皮蛋1個，生薑、蔥各5克，鹽3克。

製作方法 |
1 先將雞肉用開水煮透，撕成絲；白米洗淨，皮蛋去殼切成丁，生薑切成絲，蔥切成花。
2 取鍋子1個，倒入適量清水，用大火煮開，加入白米，改用小火煮約30分鐘。
3 再放入雞絲、薑絲、皮蛋丁，加入鹽，續煮10分鐘，撒入蔥花，盛出即可食用。

用法 ———————
早、晚餐食用。

功效 ———————
此粥富含蛋白質、脂肪、醣類、鈣、磷、鐵、維生素等，適合孕期需要大量營養的孕婦食用。

雞蛋

雞蛋即母雞產的卵，是一種全球性普及的食品，用途廣泛，含有高品質的蛋白質，常被用作度量其他蛋白質的標準。可以説，除了母乳，幾乎沒有一種食品可與雞蛋媲美，能照顧到我們全面的飲食需要。雞蛋含有人體幾乎所有需要的營養物質，故被人們稱做「理想的營養庫」，營養學家稱之為「完全蛋白質模式」，是不少長壽者的延年食物之一。

食之有理！

雞蛋中含有15種不同的維生素、核黃素、葉酸，以及12種礦物質和人體所需的各種胺基酸，比率與人體很接近，利用率達99.6%。

雞蛋中的鐵含量尤其豐富，是人體鐵的良好來源。而懷孕中期時由於對血液的需求量增加，造血系統不能相對增加造血量，大多數孕婦都會出現容量性與缺鐵混合的貧血症狀，此時適量吃雞蛋能改善孕婦的貧血狀態。

雞蛋中的蛋白質對肝臟組織損傷有修復作用，可保護肝臟；蛋黃中的卵磷脂可促進肝細胞的再生，還可提高人體血漿蛋白量，增強肌體的代謝功能和免疫功能。由此可見，孕期吃雞蛋，對母體和胎兒都具有保健作用。

相剋食物！

✘ 豆漿、甲魚、兔肉、鵝肉、茶葉、味精、糖精、鯉魚。

也有禁忌！

裂紋蛋、黏殼蛋、臭雞蛋、散黃蛋、死胎蛋、發霉蛋、瀉黃蛋、血筋蛋都不宜食用。

懷孕中期每週量一次體重

隨著害喜症狀的消失，食慾會慢慢增加，因此容易暴飲暴食。在這個時期，大部分的孕婦都想好好補償由於害喜症狀而耽誤的營養，認為多吃食物是為了保障胎兒正常發育。但是，突然大量進食會導致肥胖，所以要特別注意。每週在規定的時間測量一次體重。與其在意食物的數量，我們更應該注重食物的品質。

韭菜炒雞蛋

材料 |

韭菜150克,雞蛋3個,黑木耳(水發)20克,花生油15克,鹽3克。

製作方法 |

1 將韭菜洗淨切成段,雞蛋打散,黑木耳洗淨切成絲。

2 鍋內燒油,倒入打散的雞蛋,用小火炒至五分熟。

3 最後加入韭菜段、黑木耳絲,加入鹽,再用小火炒熟即可。

用法————
佐餐。

功效————
富含營養素,可潤腸
通便。

糯米

糯米又叫江米，是白米的一種，常被用來包粽子或熬粥。又因其香Q黏滑，常被用來製成各種風味小吃，深受大家喜愛，如：年糕、元宵都是用糯米粉製成的。

食之有理！

糯米性溫、味甘，且營養豐富，含有澱粉、鈣、磷、鐵，維生素B₁、B₂等成分；有溫胃、補中益氣、補肺健脾、止瀉及增強胃腸功能，能夠緩解氣虛所導致的盜汗、妊娠後腰腹墜脹、勞動損傷後氣短乏力等症狀。糯米還有收澀作用，對頻尿、自汗有較好的食療效果。

也有禁忌！

1 糯米性溫，黏滯，煮熟性熱，多吃發內熱，且不易消化，損傷脾胃功能，使飲食減少，故宜少吃。

2 糯米食品宜加熱後食用，一次不宜食用過多。

相剋食物！

✗ 酒——同吃會使人久醉難醒。

食譜推薦 Food Recommend

糯米蓮子粥

材料｜
糯米50克，蓮子肉20克，山藥25克，紅棗10顆，白糖適量。

製作方法｜
1 將糯米用清水洗淨，蓮子肉去芯後用溫水泡透，山藥洗淨切成丁，紅棗洗淨。
2 取鍋子1個，加入適量清水燒開，倒入糯米、蓮子肉，改用小火煮約30分鐘。
3 再放入山藥丁、紅棗，加入白糖，續煮15分鐘至透即可食用。

用 法
早、晚餐食用。

功 效
健脾止瀉、益氣養心，適用於懷孕中期脾氣虛弱、身體疲倦乏力、睡眠不好、心神不寧的人食用。

鱅魚

鱅魚又名胖頭魚、花鰱，俗稱包頭魚。因為其頭大，故稱之為胖頭。其味道鮮美純正，肉質細嫩，個大體肥而不膩，深受人們喜愛。鱅魚的頭，其肉質肥嫩，味道鮮美，皮若海參，黏濡膩滑，有「魚頭三錢參」的美譽，即一個鱅魚頭的滋補作用可以抵得上三錢人參。

食之有理！

鱅魚味甘，性溫，無毒，入胃經，有補中益氣、補益精血、止咳平喘、補腎納氣的功效，對體虛暈眩、風寒頭痛等有一定食療作用。鱅魚富含卵磷脂以及可改善記憶力的腦垂體後葉素，魚頭中含有豐富的DHA高不飽和脂肪酸，經常食用，能暖胃、祛頭眩、益智商、助記憶、延緩衰老。孕婦常食鱅魚不僅可促進胎兒大腦發育，還具有潤澤皮膚的美容作用。

也有禁忌！

1 凡有搔癢性皮膚病以及有內熱、蕁麻疹、癬病者應少食。

2 魚膽有毒，因此不要食用。

食譜推薦 Food Recommend 大蒜魚頭湯

材料 |

鮮魚頭1個（約500克），豆腐100克，生薑10克，大蒜苗20克，枸杞3克，花生油15克，鹽8克，紹興酒3克，胡椒粉少許。

製作方法 |

1 將魚頭去鱗、去腮，豆腐切成塊，生薑去皮切成絲，大蒜苗洗淨切成段，枸杞泡透。

2 鍋內燒油，放入魚頭，用小火煎香，加入薑絲，倒入紹興酒和適量清湯。

3 用大火煮至湯白時，再放入豆腐、枸杞、蒜苗，加入鹽、胡椒粉，續煮3分鐘即可食用。

用法 ────
佐餐。

功效 ────
清熱洩火、健脾去溼、補腦益髓、醒神益智。

番薯

番薯，又稱白薯、甘薯、紅薯、山芋、紅苕等，原產美洲。它不僅是健康食品，還是祛病的良藥，就總體營養而言，番薯可謂是糧食和蔬菜中的佼佼者。歐美人讚它是「第二麵包」；前蘇聯科學家說它是未來的「宇航食品」；法國人稱它是當之無愧的「高級保健食品」。

食之有理！

番薯營養價值很高，被營養學家們稱為是營養最均衡的保健食品，含大量黏蛋白，是一種由膠原和黏多醣類物質所組成的混合物，能預防心血管系統的脂肪沉積，保持動脈血管彈性，阻止動脈粥狀硬化過早發生，還能預防肝臟和腎臟中結締組織的萎縮，保持消化道、呼吸道以及關節腔的滑潤；另外，它富含β-胡蘿蔔素，所含熱量也比一般食物低得多，所以吃了之後容易消化。特別是番薯含有豐富的賴胺酸，而白米、麵粉恰恰缺乏賴胺酸。

番薯與米麵混合食用，可以得到更為完善的蛋白質補充，並促使上皮細胞正常成熟，抑制上皮細胞異常分化，消除有致癌作用的自由基，阻止致癌物與細胞核中的蛋白質結合，使人體免疫力增強。番薯中維生素A、C含量高於胡蘿蔔和一些水果，患有皮膚乾燥、眼乾、頭髮乾裂易落等症狀的人，常吃甘薯是很有益處的。

番薯中含有的鈣、磷、鐵等元素，可與吃魚、肉、蛋、米麵、白糖等酸性食物而產生過多的酸中和，更好地保持人體酸鹼度平衡。它可以補虛乏、益氣力、健脾胃，強腎陰，還能刺激消化液分泌及腸胃蠕動，進而達到通便作用。因此，番薯也適合做孕期的主食。

也有禁忌！

1 番薯易在胃中產生酸，所以胃潰瘍以及胃酸過多的患者不宜食用。

2 番薯中澱粉的細胞膜不經高溫破壞，難以消化。食用涼的番薯易導致胃腹的不適。

3 爛番薯和帶有黑斑的番薯會使人中毒，不可食用。

蜜燒紅薯

材料 |
紅心番薯500克,紅棗、蜂蜜各100克,冰糖50克。

製作方法 |
1 將番薯去皮切成小塊(先用清水洗淨),紅棗用溫水泡透。
2 鍋內燒水,放入番薯塊、紅棗,用中火燒開,加蓋,改小火燒約10分鐘。
3 最後加入蜂蜜、冰糖,用小火續煮5分鐘即可食用。

用 法 ——————
當作點心食用。

功 效 ——————
補中、潤燥、祛病強身,可促進胎兒的生長發育,預防孕婦便祕。

芹菜

芹菜有水芹、旱芹兩種。水芹生在水邊溼地；旱芹生在平地，常吃的是旱芹，旱芹香氣較濃郁，又名香芹。因入藥較佳，亦稱藥芹。芹菜為傘形科草本植物，旱芹的莖葉，原產於地中海沿岸的沼澤地帶。

食之有理！

芹菜營養豐富，含有蛋白質、碳水化合物、脂肪、維生素以及礦物質，其中磷和鈣的含量較高，還含有芫荽（即芫茜）、甘露醇、揮發油等人體不可缺少的物質。

芹菜味甘，無毒，入肺、胃、腎經。有固腎止血、健脾養胃的功效。主治糖尿病、尿血、頭風痛、高血壓、失眠、婦女白帶、產後出血、腹痛、小兒腹瀉、百日咳。

因其性味辛香，具有溫熱健胃之功，對於偏寒病者療效較為理想，不可用於溫熱性病者。芹菜的莖葉中含有佛手內脂、揮發油等成分，孕婦常吃能幫助消化，也能預防妊娠高血壓綜合症。

相剋食物！

✗ 雞肉——同吃會傷元氣。

✗ 兔肉——同吃會使人脫髮。

也有禁忌！

脾胃虛弱、中氣寒乏的人要少吃芹菜。

孕期外出用餐時的注意事項

避免單一的料理，最好選擇套餐｜單一料理營養不夠豐富，容易造成營養失衡。為了攝取均衡的營養素，必須選擇菜餚種類多樣的套餐。

少吃西餐，多吃中餐｜跟中餐相比，西餐使用過多的油或動物性油脂，所以含有大量的卡路里。

不要吃太鹹的食品｜懷孕時還是要防止過量吸收鹽分。盡量少吃過鹹的泡菜、濃湯、魚子醬等食品。

最好不要吃速食｜漢堡、披薩、炸雞等速食中含有大量的熱量，但是其營養價值並不高。

用茶水代替清涼飲料｜與清涼飲料或富含糖分的果汁相比，水或茶水對身體更有益。

花生仁炒芹菜

材料｜

花生仁50克，嫩芹菜150克，大蒜10克，紅椒1根，花生油10克，鹽5克，白糖1克，太白粉少許。

製作方法｜

1 將花生仁用油泡熟至脆；芹菜去葉、根洗淨，切成小段；大蒜切片；紅椒切成小段。

2 鍋內燒油，放入蒜片、芹菜、紅椒段，用中火炒至八分熟。

3 再加入鹽、白糖，然後加入炸花生仁炒透，用太白粉水勾芡，炒勻，起鍋裝盤。

用 法 ————
佐餐。

功 效 ————
富含維生素B$_1$、鐵、鋅等營養素，對孕婦有很好的保健作用。

羊肉

在現今人類的生活中，羊是一種很珍貴的家畜。羊肉可以吃；羊奶可以喝；羊毛可以製衣、織毯。可以說，羊對人的吃、穿、鋪、蓋多方面都提供了豐富的物品。羊肉是人類最早食用的肉食之一，約有六千多年歷史，其肉質細嫩，脂肪及膽固醇的含量都比豬肉和牛肉低，因此被人們當作冬季進補的佳品。

食之有理！

冬吃羊肉，是非常合適的，因為羊肉性溫，能給人體帶來熱量。它是助元陽、補精血、療肺虛、益勞損之妙品，是一種良好的滋補強壯藥。羊肉熱量高於牛肉，鐵的含量是豬肉的6倍，對造血有顯著功能，能促進血液循環。

由於羊肉所含的鈣質、鐵質高於豬、牛肉，所以吃羊肉對肺病、氣管炎、哮喘和貧血、產後氣血兩虛及一切虛寒症最為有益。冬季常吃羊肉，可增加消化酶、保護胃壁、幫助消化、修補胃壁黏膜，並有抗衰老和預防早衰的效果。常吃羊肉、喝羊奶，對肺病有治療作用。

相剋食物！

✘ 醋、梅乾菜、竹筍、南瓜。

也有禁忌！

1 羊肉屬於大熱食品，有發熱、牙痛、口舌生瘡、咳吐黃痰等上火症狀者都不宜食用。

2 羊肉性溫，助元陽、補精血，是冬季溫補佳品，夏、秋季時人體火盛陽亢，羊肉不宜多食。

3 烤羊肉串中含有致癌物質，因此經常吃這種燻烤食物對身體有害，最好不吃。

山藥羊腿湯

材料┃

羊腿700克,山藥20克,枸杞5克,桂圓肉20克,荸薺4個,老薑5片,鹽8克,雞精粉3克,紹興酒5克,胡椒粉少許。

製作方法┃

1. 將羊腿肉切成塊,山藥去皮切成塊,荸薺去皮,生薑去皮切成片。
2. 鍋內燒水,待水開後,放入羊腿肉,用大火煮去血水,撈起備用。
3. 取鍋子1個,放入羊腿肉、山藥、枸杞、桂圓肉、荸薺、生薑,加入鹽、雞精粉、紹興酒、胡椒粉,倒入適量清水,加蓋,煮約3小時即可食用。

用 法 ————
佐餐。

功 效 ————
補氣健脾、驅風除濕,對孕婦有很大的補益。

宜 小黃瓜

黃瓜不但清甜爽脆，可當水果吃，又可以入菜，而且還有很好的美容功效。

🍃 食之有理！

小黃瓜不但脆嫩清香，味道鮮美，而且營養豐富，含有水分96.2%、蛋白質、碳水化合物、脂肪、鐵、鈣、磷、細纖維、丙醇二酸以及多種游離胺基酸等成分。其所含之丙醇二酸，可抑制醣類物質轉化為脂肪，有減肥和預防冠心病的功能。人們以前就把小黃瓜當作促進食慾、調節消化系統、利尿、利膽和溫的瀉藥使用。小黃瓜汁當水飲可以祛暑，對牙齒、指甲和頭髮都有好處。小黃瓜中含鉀，具利水之效。浮腫時，生吃小黃瓜可減緩輕微水腫，對於懷孕中期既需要營養又有浮腫症狀的女性來說，適量地吃一些小黃瓜是再合適不過了。

🍃 相剋食物！

✗ 番茄──同吃會使番茄中的維生素C遭到破壞，影響人體對營養素的吸收。

✗ 花生──同吃對身體有危害。

🍃 也有禁忌！

小黃瓜不宜和維生素C含量高的蔬菜、水果同食，因黃瓜含有維生素C分解酶，會使其他果菜中的維生素C損失殆盡。

小黃瓜面膜

小黃瓜含有非常多的水分，不僅有美白作用，而且還可以維持皮膚彈性。特別是對預防青春痘有相當良好的效果，因此小黃瓜對孕婦而言是再好不過的面膜材料。

材料：小黃瓜1/2個，蘋果醋、麵粉各一匙。

方法：①將小黃瓜用果汁機榨成汁，再加點蘋果醋與麵粉，使面膜有黏黏的感覺。②面膜製作好以後，在眼部周圍塗抹眼霜，把溼紗布貼在臉上，紗布上再抹上面膜。③約20分鐘後拿掉，用清水洗淨，最後再擦上保養品。

小黃瓜銀耳湯

材料 |

小黃瓜、水發白木耳各100克，紅棗15克，花生油5克，鹽8克，白糖1克。

製作方法 |

1 將小黃瓜去籽切成片，水發白木耳改成小朵洗淨，紅棗用溫水泡透。

2 鍋內燒油，倒入適量清湯，用中火燒開，加入白木耳、紅棗。

3 煮約5分鐘後，再加入小黃瓜，以及鹽、白糖煮透入味即可。

用 法 ——————
佐餐。

功 效 ——————
此菜色澤鮮豔，味美可口，含有豐富的營養素，有滋補健身、潤肺養胃、安胎的作用。

海參

海參是生長在海洋底層岩石上或海藻間的一種棘皮動物，又名海黃瓜、刺參、海鼠，是一種名貴海產動物，因補益作用類似人參而得名。海參在各海洋中均有分布，以西太平洋種類最多。海參生活習性很特別，每逢夏季到來，海水溫度超過16℃時，海參就會鑽入海底沙中進行「夏眠」，待到秋季水溫下降後，才會出來活動。

🦞 食之有理！

海參之所以被稱為「大海之珍」，不但因其稀有價高，還因其為營養滋補上品。海參肉質細嫩、富有彈性、鮮美爽口，是一種高蛋白、低脂肪的食品，每100克海參乾品中，蛋白質含量可達70克左右，而脂肪只約1克，對高血壓、冠心病、肝炎等病人以及老年人是極好的滋補食品，不失為食療佳品，常食對治病強身很有益處。失血過多的人，吃海參能補髓生血，很快恢復元氣。

研究證實，海參含有50多種對人體生理活動有益的營養成分，其中蛋白質含量高達55%以上，由於它含有較高的膠原蛋白，所以有很好的美容作用。海參中所含的18種胺基酸，其中精胺酸最為豐富，精胺酸是構成男性精細胞的主要成分，又是合成人體膠原蛋白的主要材料，可促進身體細胞的再生和身體受損後的修復，還可以提高人體的免疫功能，延年益壽，消除疲勞。

海參含有硫酸軟骨素，能夠增強身體的免疫力；海參中微量元素釩的含量居各種食物之首，它可以參與血液中鐵的輸送，增強造血功能。

🦞 相剋食物！

✗ 甘草。

🦞 也有禁忌！

海參性滑利，脾胃虛弱、痰多、大便稀薄者不宜食用。

中醫師有話要說

中醫認為海參具有補腎益精、除溼壯陽、養血潤燥、通便利尿的作用，能養胎、利產。

食譜推薦 Food Recommend

紅燒海參

材料 |
水發海參150克，香菇15克，生薑、蔥各10克，花生油20克，鹽5克，白糖、蠔油各3克，醬油5克，黃酒3克，太白粉少許。

製作方法 |

1. 將水發海參切成片，香菇切片，生薑去皮切成片，蔥切成段。

2. 鍋內燒油，放入薑片、海參、黃酒、香菇，用中火炒片刻，倒入適量清湯，煮約5分鐘。

3. 最後放入蔥段，加入鹽、白糖、蠔油、醬油燒透，用適量太白粉水勾芡推勻，起鍋裝盤即成。

用 法 ———————
佐餐。

功 效 ———————
滋陰養血，安胎利產。

紅棗

紅棗又名大棗、乾棗、刺棗，為鼠李科植物棗的成熟果實，以色紅、肉厚、核小、味甜者為佳，於秋季成熟時採摘晒乾。紅棗亦果亦藥，深受人們的鍾愛，自古以來就被列為「五果之王（桃、李、梅、杏、棗）」。現存最早的醫藥學專著《神農本草經》將紅棗列為上品。

食之有理！

紅棗味甘性溫，歸脾、胃經，有補中益氣、養血安神、緩和藥性的功能；而現代的藥理學則發現，紅棗含有蛋白質、脂肪、醣類、有機酸、維生素A、維生素C、微量鈣、多種胺基酸等豐富的營養成分。

紅棗之所以被稱為「五果之王」，是因為它豐富的營養成分，因此有人又稱之為「天然維生素丸」，且鮮棗的維生素P含量在水果中也不遜色。有促進肝臟合成白蛋白功能，減少其他藥物對肝臟的損害，可以預防慢性肝炎、肝硬化；紅棗對防治心血管疾病也多有裨益。長期服用紅棗對貧血、女性躁鬱症、哭泣不安、心神不寧等均有調補作用，因此它是孕婦滋養的聖果。

相剋食物！

✘ 海蟹、蝦殼、蔥、黃瓜、蘿蔔、鱔魚、動物肝臟。

相剋藥物！

維生素K、苦味健胃藥、驅風健胃藥、退熱藥物。

也有禁忌！

1 腐爛的紅棗不可以食用。

2 生吃紅棗時，棗皮容易滯留在腸道中不易排出，因此吃棗時應吐皮。

3 齲齒疼痛、下腹部脹滿、大便祕結者不宜食用。

紅棗生薑茶

材料｜

紅棗50克，生薑5克，紅糖適量。

製作方法｜

1 先將紅棗洗淨，生薑洗淨切片，然後放進鍋內。
2 倒入適量清水，煮沸後用小火再煮20分鐘，加入紅糖，攪勻即可。

用法 ——————
趁熱時飲用。

功效 ——————
益氣養血。適用於懷孕中
期因氣血不足所導致的面
色萎黃、心悸怔忡、氣短
乏力、脾胃虛寒等症狀的
食療。

宜

木瓜

木瓜又名乳瓜、青木瓜、文冠果，果皮光滑美觀，甜美可口，營養豐富，有「百益之果」、「水果之皇」、「萬壽瓜」的雅稱，原產墨西哥，現在世界各地均有栽種。選購木瓜時，以表面無斑點，果蒂部分無腐壞的為佳。

食之有理！

木瓜果實含豐富糖分、有機酸、蛋白質、脂肪、維生素B、B₁、B₂、C、G以及鈣、鐵等營養成分。尚含多種類一般成分和藥效成分。

木瓜含有大量的β-胡蘿蔔素，它是一種天然的抗氧化劑，能有效對抗破壞身體細胞、使人體加速衰老的自由基，因此也有防癌的功效。

木瓜富含17種以上胺基酸以及鈣、鐵等，還含有木瓜蛋白酶、青木瓜鹼等。其維生素的含量是蘋果的48倍，半個中等大小的木瓜足供成人整天所需的維生素C。

木瓜中有一種酵素，能消化蛋白質，有利於人體對食物進行消化和吸收，懷孕中期食用木瓜可健脾消食、潤肺。

相剋食物！

✘ 白鱔。

也有禁忌！

1 過敏體質者應慎用；體質虛弱及脾胃虛寒的人，不要經過冰冷後食用較好。

2 木瓜中的青木瓜鹼對人體有小毒，因此每次食用量不能過多，1/4個左右即可。

3 木瓜忌用鐵、鉛製器皿烹製。

中醫師有話要說

中醫認為木瓜有健脾胃、助消化、通便、清暑解渴、解酒毒、降血壓、解毒消腫、通乳、驅蟲等功效。用於食材治消化不良、胃炎、胃痛、十二指腸潰瘍、心脘痛、高血壓、壞血病、產婦乳汁少、小便不利、大便不通。

木瓜羊肉湯

材料 |

木瓜1個（約350克），羊肉80克，生薑10克，青菜50克，花生油10克，鹽6克，紹興酒3克，胡椒粉少許。

製作方法 |

1 將木瓜去皮、籽，切片，羊肉切薄片（用紹興酒、胡椒粉抓醃好），生薑去皮切絲，青菜洗淨。

2 鍋內燒油，放入薑絲爆香鍋，倒入適量清湯，用中火燒開，放入木瓜、羊肉。

3 滾至八分熟時，再放入青菜，加入鹽，用中火煮透入味，盛出即成。

功 效 ———
健脾除溼，適用於脾溼下注之腿足腫痛、四肢麻木等症狀。

番茄

番茄又叫做西紅柿、洋柿子，為茄科番茄屬，是全世界栽培最為普遍的果菜之一，相傳番茄最早生長在南美洲，因色彩嬌艷，人們對它十分警惕，視為「狐狸的果實」，又稱狼桃。它以鮮美的味道、極高的維生素含量和較為低廉的價格，而贏得了「平民水果之王」的稱號。

🍅 食之有理！

番茄含有豐富的胡蘿蔔素、維生素B和C，尤其是維生素P的含量居蔬菜之冠。其味甘酸、性微寒，有生津止渴、健胃消食、涼血平肝、清熱解毒、降低血壓之功效，對高血壓、腎臟病人有良好的輔助治療作用。多吃番茄具有抗衰老作用，使皮膚保持白皙。茄紅素能清除自由基，保護細胞，含有對心血管具有保護作用的維生素和礦物質元素，能減少心臟病的發作。

番茄中的菸鹼酸能維持胃液的正常分泌，促進紅血球的形成，有利於保持血管壁的彈性和保護皮膚。番茄中含有一定量的鉀離子和鎂離子，它們都具有降壓的作用，能擴張血管，增加血管舒緩度；多吃番茄可以使人精力充沛，降低膽固醇的含量。這是因為番茄中含有大量的纖維質，它在人體內可以和由膽固醇生成的生物鹽相結合，生物鹽在和番茄中的纖維質結合後，可以透過消化系統排出體外，人體內存積的一部分膽固醇就會自動轉化為生物鹽，血液中的膽固醇含量就會減少。此外，番茄中豐富的維生素還可以輔助治療貧血，適合懷孕中期的女性食用。

🍅 相剋食物！

✘ 冰淇淋、白酒、豬肝、鹹魚、毛蟹、綠豆。

🍅 也有禁忌！

1️⃣ 番茄性寒，素有胃寒者忌食生冷番茄，女子月經期間已有痛經者忌食；一般人也不宜空腹大量食用番茄。

2️⃣ 不宜食用未成熟的番茄，未熟的青色番茄使人口腔苦澀、胃腔不適，嚴重時會導致中毒。

肉末番茄

材料 |

瘦肉30克，鮮番茄150克，香菇15克，芹菜20克，花生油18克，鹽、白糖各3克，太白粉適量。

製作方法 |

1　將瘦肉剁成末；番茄切成中丁；香菇切成粒；芹菜洗淨切成粒。

2　鍋內燒油，放入肉末、香菇，用小火炒至肉末發白時，加入番茄合炒2分鐘。

3　再放入芹菜，加入鹽、白糖炒透入味，用太白粉推勻，起鍋即成。

功 效 ———

此菜酸甜鮮香，可提供豐富的蛋白質、脂肪、鈣、鐵及維生素A、B₁、C等多種營養素。

豌豆

豌豆又名寒豆、麥豆、冬豆、雪豆、荷蘭豆等，為豆科植物豌豆的種子，豌豆屬蝶形花科一或二年生草本植物，原產於亞洲西部或地中海沿岸一帶，相傳由荷蘭人引入台灣。豌豆喜歡涼涼的天氣，原本應該在春天結果實的，但來到溫熱的台灣後，產期就退到了冬天，大約在十一月到三月之間，它既可做為蔬菜食用，又是一種雜食佳品，還可製成罐頭食品。

食之有理！

豌豆仁含有維生素A、維生素C、蛋白質、碳水化合物、鈣質、菸鹼酸、熱量、鐵質，維生素B$_1$、B$_2$以及礦物質、磷質等含量亦豐富。其營養絕不亞於大豆，尤其蛋白質的消化率比大豆蛋白質高，經常食用豌豆仁可做為補充蛋白質的來源，且有利尿、清淨血液、預防孕婦口吐酸水之效。老年人體衰中氣不足，以豌豆仁煮羊肉食用，即是滋補益品。而用豌豆仁炒蝦仁、火腿薄片，更是色、香、味俱全，營養豐富，為強精益氣食物。豌豆中富含人體所需的各種營養物質，尤其是含有優質蛋白質，可以提高身體抗病能力和康復能力。豌豆中含有植物凝集素，可刺激淋巴球，有增強免疫作用。

豌豆中富含胡蘿蔔素，食用後可預防人體致癌物質的合成，因而降低人體癌症的發病率。豌豆中富含纖維質，能促進大腸蠕動，保持大便通暢。

也有禁忌！

豌豆吃多了容易腹脹，一次不宜吃得太多，以80克左右為宜，消化不良者不宜大量食用。

中醫師有話要說

中醫認為，豌豆性味甘平，入脾、胃、大腸經，生津止渴、利尿下乳，主治脾虛氣弱、納差腹脹、脾胃不和吐瀉、產後乳汁不下、煩熱口渴等。因其有通乳消脹的功能，適合女性懷孕期食用。

豌豆羊肉湯

材料 |

豌豆50克，羊肉200克，枸杞3克，薑片8克，鹽適量。

製作方法 |

將豌豆、羊肉、薑片洗淨，加入枸杞，再加適量清水，用小火燉爛後，加鹽調味即可。

用法 ————
佐餐。

功效 ————
可治氣血虛弱。

黑豆

黑豆又名烏豆、黑大豆、冬豆等，依種子內顏色可分成青仁黑豆與黃仁黑豆兩種。青仁黑豆適合浸酒及生吞；黃仁黑豆適合煮食及製造蔭油，向來有「豆中之王」的美稱，是豆科植物大豆的黑色種子，性味甘平，無毒，可歸入脾、胃二經。

🌑 食之有理！

黑豆具有高蛋白、低熱量的特性，其蛋白質含量高達36%～40%，相當於肉類含量的2倍、雞蛋的3倍、牛奶的12倍；富含18種胺基酸，特別是人體必需的8種酸含量，比美國FDA規定的高蛋白質標準還高。黑豆還含有19種油脂，不飽和酸含量達80%，吸收率高達95%以上，除了能滿足人體對脂肪的需求外，還有降低血液中膽固醇的作用。

因為黑豆基本不含膽固醇，只含植物固醇，而植物固醇不被人體吸收利用，卻有抑制人體吸收膽固醇、降低膽固醇在血液中含量的作用。因此，常食黑豆，能軟化血管、滋潤皮膚、延緩衰老，特別是對高血壓、心臟病，以及肝臟和動脈等方面的疾病有好處。黑豆具有補腎益精和潤膚烏髮的作用，經常食用有利於抗衰延年、解表清熱、滋養止汗。

中醫師有話要說

中醫學認為，黑豆能利水、驅風、活血化瘀、解毒，可治水腫、腳氣、黃疸、浮腫、痢疾、腹痛、產後風痙等症狀，適合懷孕期有各種妊娠症狀的女性食用。

🌑 也有禁忌！

1️⃣ 黑豆有解毒的作用，同時會降低中藥功效，因此正在服中藥者忌食黑豆。

2️⃣ 黑豆一次不宜吃得過多，否則容易脹氣、上火；空腹吃，生硬的黑豆在胃中單獨被研磨，對胃炎患者可能產生不適、疼痛的感覺。

紅棗黑豆燉鯉魚

材料 |

鯉魚1條（約400克），紅棗15克，黑豆30克，生薑、蔥各10克，花生油18克，鹽8克，紹興酒3克。

製作方法 |

1. 將鯉魚處理乾淨，紅棗、黑豆分別用溫水泡透，生薑切成絲，蔥捆成把。
2. 鍋內燒油，待熱時，放入鯉魚，用小火煮片刻，倒出備用。
3. 取鍋子1個，放入鯉魚、紅棗、黑豆、薑絲、蔥，加入鹽、紹興酒，倒入適量清水，加蓋，燉約1個半小時即可食用。

用 法 ——————
佐餐。

功 效 ——————
補中、益氣、利水，對孕期四肢發腫或手足冰冷的人有效，可預防孕婦發生水腫。

烏骨雞

烏骨雞又名烏雞、藥雞，千百年來被歷代醫學家和民間視為珍貴的食療藥用補品；真正的烏骨雞，從雞皮、雞肉到雞骨頭都是黑的，這是因為烏骨雞的細胞中含有一種叫作麥拉林的黑色色素。明代著名醫學家李時珍說：「烏骨雞，婦人方科有烏雞丸，治婦人百病。煮雞至爛和藥，或併骨研用之。」

食之有理！

烏骨雞雞肉含蛋白質達47％～57％，比普通雞肉高1倍以上，並富含人體必需的8種胺基酸，具有很高的營養價值。烏骨雞含充分的礦物質和微量元素，尤其銅、鋅、錳3種含量豐富，可以充分滿足體內需求。烏骨雞尚含豐富的胡蘿蔔素，經常食用對防治心血管病和癌症有幫助。實驗還證明，它還具有增強體力、延緩衰老等作用。烏骨雞味甘，性平，入肝、腎經，具有補肝腎、益氣血、退虛熱的功效；主治虛勞羸瘦、骨蒸潮熱、盜汗、遺精、滑精、消渴、久瀉、久痢、崩中、帶下等。具有補血益陰、退熱除煩的功效，對女性孕期身倦食少、消渴咽乾、五心煩熱及肌肉消瘦等陰虧血少、內熱鬱生之症有良效。

烏骨雞含豐富優質蛋白質，可治貧血。DHA、維生素A、B$_2$以及鐵質含量高，具有保固腎臟的優點。適用於一切虛損之症、月經失調、白帶過多、不孕症、腰痠腿疼、貧血萎黃、結核盜汗、頭暈耳鳴等。烏骨雞含17種胺基酸，含量明顯高於一般白雞。

相剋食物！

✗ 芝麻、菊花——同吃可能會引起腹瀉。

✗ 李子、兔肉——同吃可能引起痢疾。

✗ 芥末——同吃可能會上火。

也有禁忌！

感冒發熱、咳嗽痰多及急性菌痢腸炎初期的病人忌吃。

核桃龍眼炒雞丁

材料 |

核桃仁30克，桂圓肉20克，烏骨雞肉100克，胡蘿蔔30克，生薑、蒜苗各10克，花生油500克，鹽6克，白糖少許，料酒3克，太白粉適量。

製作方法 |

1. 將桂圓肉用溫水泡透，烏骨雞肉切成丁（用料酒醃好），胡蘿蔔去皮切成丁，生薑切小片，蒜苗洗淨切丁。
2. 鍋內燒油，待油溫為攝氏50度時，放入核桃仁，泡至剛熟時撈起，放入烏骨雞丁泡熟，倒出。
3. 鍋內留油，放入薑片、蒜苗、胡蘿蔔丁，炒至快熟，加入烏骨雞丁。
4. 最後加入鹽、白糖，再加入核桃仁、桂圓肉炒透入味，用適量太白粉水勾芡，翻炒幾下，起鍋裝盤即成。

用法 ———————
佐餐食用。

功效 ———————
補腎健脾、養心安神。核桃仁能補腎益智，桂圓肉、烏骨雞肉能補心養神。

宜

豬肉

豬肉是餐桌上常見較為重要的動物性食品之一，其經濟價值很高，全身是寶，幾乎沒有不可利用的部分，僅豬肉內臟就可製出幾十種藥物，豬肉是重要材料，可以做出幾百種不同款式的菜餚，是人民喜愛的食品。

因為豬肉纖維較其他肉類細軟，而肌肉組織中含有較多的肌間脂肪，經烹製後，味道十分鮮美而含有豐富的營養素。烹調得宜的豬肉不僅脂肪量會大大減少，不飽和脂肪酸會增加，而且膽固醇含量也會明顯降低。

食之有理！

豬肉中含有豐富的營養，熱量大，蛋白質、脂肪豐富，還含有各種維生素及微量元素，因此具有長肌肉、潤皮膚的作用，並能使毛髮光澤。近年來人們研究出肥肉可使皮膚細潤，原來有的人皮膚細膩是因為其皮中含有多量的「透明質酸酶」之故，這種酶可保留水分，吸存一些微量元素及各種營養物質，使皮膚細嫩潤滑，而肥肉中特有一種膽固醇卻是與此種酶的形成有關，所以每天吃50克肥肉不但不會發胖還可使皮膚更細嫩。

現代營養學家指出，豬肉能為人類提供優質蛋白質和必需的脂肪酸；能提供血紅素鐵（有機鐵）和促進鐵吸收的半胱胺酸，改善缺鐵性貧血的症狀，因此對孕婦有益。豬肉是肉類中含維生素B_1最多食品，對於患燥咳熱病、傷津消渴、羸瘦便祕症狀大有裨益。

相剋食物！

✗ 鵪鶉、鴿肉、鯽魚、菱角、蕨菜、羊肝、蕎麥。

也有禁忌！

1 豬肉含脂肪及膽固醇過高，動脈硬化、冠心病、年老體弱者不宜多食。

2 豬肉加熱煉油時，由於溫度較高，有機物質受熱分解，形成致癌物質；而油渣中含量更高，所以豬油渣不宜食用，丟掉為佳，不必可惜。

3 食用前不宜用熱水浸泡。

4 在燒煮過程中忌加冷水。

蒜苔肉絲

材料 |

蒜苔（青蒜的花梗）150克，瘦豬肉100克，紅椒1根，
生薑10克，植物油18克，鹽5克，太白粉適量，麻油1
克。

製作方法 |

1　蒜苔洗淨切成段，瘦豬肉、紅椒切成中絲，生薑去皮
　　切絲。

2　鍋內燒油，放入生薑絲、蒜苔，用中火炒至五分熟。

3　再放入瘦豬肉絲、紅椒絲，加入鹽，用中火炒至入味
　　而熟，倒入適量太白粉水勾芡，淋入麻油，起鍋裝盤
　　即可食用。

用 法
佐餐。

功 效
殺菌、健胃、降壓，對孕婦
具有預防疾病的作用。

白帶魚

白帶魚又稱刀魚、裙帶魚、帶魚，因其身體扁長、形似帶子而得名。白帶魚肉肥刺少，味道鮮美，營養豐富，鮮食、醃製、冷凍均可，因此深受人們歡迎。

食之有理！

白帶魚含蛋白質、脂肪、鈣、磷、鐵、碘、維生素B_1、維生素B_2及菸鹼酸等，對病後體虛，產後乳汁不足、外傷出血有一定療效。現代醫學證明，白帶魚身上的白膜中含有一種抗癌成分，能有效地治療急性白血病和其他癌症，還可促進毛髮的生長。白帶魚的脂肪含量高於一般魚類，且多為不飽和脂肪酸，具有降低膽固醇的作用；白帶魚還含有豐富的鎂元素。經常食用白帶魚，具有補益五臟的功效，還可治療毛髮脫落、皮膚發炎等症狀。女性常吃白帶魚，能促進肌膚光滑潤澤，使長髮烏黑，面容更加亮麗。

中醫師有話要說

中醫認為白帶魚味甘、性平，入胃經，可補虛、解毒、止血。

也有禁忌！

1️⃣ 患有疥瘡、溼疹等皮膚病或皮膚過敏者應慎食。

2️⃣ 一次不宜食用過量。

懷孕中期多攝取對大腦有益的食品

懷孕中期盡量多攝取對大腦發育有益的食品，鮮魚脂肪內的DHA尤其能促進大腦細胞的成長，而且對大腦發育有很重要的作用。另外，鮮魚體內富含有助於血液循環的成分和蛋白質、鈣等營養素，所以懷孕中一定要多食鮮魚。

家常燜白帶魚

材料 |

白帶魚400克,黃瓜30克,生薑10克,香菇30克,紅椒1根,花生油20克,鹽5克,紹興酒3克,胡椒粉少許,醬油1克,花椒油少許。

製作方法 |

1. 將白帶魚殺淨剁成塊,黃瓜切成片,生薑去皮切粒,香菇、紅椒切片。
2. 鍋內燒油,放入白帶魚,用小火煎至稍黃,加入薑粒、紹興酒、香菇及適量清湯,用中火燜約8分鐘。
3. 最後放入黃瓜片、紅椒片,加入鹽、胡椒粉、醬油、花椒油燜透入味,裝盤即可。

用法 ———
佐餐。

功效 ———
此菜具有暖胃、補虛、澤膚、黑髮等功能,是孕婦的理想食品。

大白菜

大白菜又名結球白菜、包心白菜或山東白菜，屬十字花科一年生草本植物，其中結球白菜原屬冷季栽培蔬菜，近年來由於品種改良已培育出耐熱品種，適合春、夏季栽培，台灣地區一年四季均能生產，但仍以冬季生產較多。被譽為「百菜之王」，營養豐富而脆美無渣，且具有一定的療病價值。

食之有理！

大白菜含有豐富的胡蘿蔔素、維生素B₁、維生素B₂、維生素C、菸鹼酸、纖維質、蛋白質、脂肪、醣類、鈣、磷、鐵等，其中維生素C、核黃素的含量比蘋果和梨高出4～5倍，所含微量元素鋅高於肉和蛋類，可治感冒、凍瘡等症狀，對於需要消耗大量營養素的懷孕中期女性來說，要常吃、多吃大白菜。

也有禁忌！

不可食用爛白菜，因為白菜腐爛後其中硝酸鹽會變成亞硝酸鹽，它可使血液中的低鐵血紅蛋白變成高鐵血紅蛋白，使血液喪失載氧能力，讓人缺氧，而引起中毒。

食譜推薦 Food Recommend

素炒白菜

材料 |
大白菜500克，花生油50克，醬油10克，鹽5克，薑絲3克。

製作方法 |
1. 將大白菜洗淨，瀝乾水，順向切成段。
2. 鍋內燒油，放入薑絲略炸，隨即放入白菜，以大火炒至五分熟，加入醬油、鹽翻炒片刻即可。

用 法 —————
佐餐。

功 效 —————
清熱、利尿、消腫，適合做為孕婦常吃的家常菜。

劍筍是禾本科多年生植物竹子的嫩莖，又稱毛筍、毛竹筍等。劍筍的種類很多，可以分為冬季採摘的冬筍，春季採摘的春筍。其中以冬筍的品質最佳，有「筍中皇后」之稱。

食之有理！

劍筍具有高蛋白、低脂肪、低澱粉、多纖維的特點。不僅味道鮮美、熱量極低，且含有豐富的蛋白質及鈣、磷、鐵等礦物質，吃了可減少體內脂肪的堆積，促進食物發酵，幫助消化和排泄，進而產生減肥的作用，預防大腸、直腸癌的發生。其所含的多醣類物質，有一定的防癌作用。中醫認為，劍筍性味甘、寒，有清熱化痰、解毒透疹、和中潤腸之功，適用於熱毒痰火內盛、胃熱嘈雜、口乾便祕、咳嗽痰多、食積不化、疹發不順、脘腹脹滿等，對懷孕中期有肢體浮腫、便祕等妊娠症狀的女性有很好的改善作用。

相剋食物！

✗ 羊肝。

也有禁忌！

❶ 有尿結石者不宜食用。

❷ 對劍筍過敏者則應忌吃。

食譜推薦 Food Recommend 劍筍香菇湯

材料

劍筍、香菇各30克，金針菇各30克，生薑8克，蔥、花生油各10克，鹽6克，熟雞油1克。

製作方法

1　將劍筍切成斜片，香菇去蒂洗淨，金針菇洗淨去根，生薑切絲，蔥切段。

2　鍋內燒水，待水開後，放入劍筍，用中火煮去澀味，撈起備用。

3　另加油熱鍋，放入薑絲爆香，倒入適量清湯燒開，加入劍筍、香菇、金針菇、蔥段，邊煮邊加入鹽煮透入味，淋熟雞油起鍋即可。

用　法
佐餐。

功　效
清熱化痰、利水消腫、潤腸通便。

宜

萵苣

萵苣又叫萵筍，屬菊科植物。萵苣原產歐洲的地中海沿岸。萵苣是春季和初夏常見的蔬菜，氣味清爽，生、熟食皆宜。萵苣分葉用和莖用兩種，葉用萵苣又名「生菜」，莖用萵苣則稱「萵筍」，萵筍又名莖用萵筍、萵苣筍、青筍、萵菜等，其口感鮮嫩，色澤淡綠，如同碧玉一般，製作菜餚可葷可素，可涼可熱，口感爽脆，是做菜的好材料。

🌱 食之有理！

萵苣中含有多種維生素和礦物質，其中以鐵的含量較豐富，因萵苣中的鐵在有機酸和酶的作用下，易為人體吸收，故食用新鮮萵苣，對治療各種貧血非常有利。尤其是萵苣中還含有一種酶，能消除強致癌物質——亞硝胺引起的細胞突變，有一定抗癌作用。萵苣中的菸鹼酸是人體內一些重要酶類的成分，可激活胰島素，促進糖的代謝，對罹患糖尿病的老人非常有益。

常吃萵苣可增強胃液和消化液的分泌，增進膽汁的分泌。萵苣中的鉀是鈉的27倍，有利於促進排尿，維持水平衡，對高血壓和心臟病患者有很大的裨益。萵苣中所含的氟元素可參與牙釉質和牙本質的形成，參與骨骼的生長。萵苣中的含碘量高，這對人體的基礎代謝和體格發育會產生有利影響。由此可見，懷孕期食用萵苣對母體和胎兒都是有益的。

🌱 相剋食物！

✗ 蜂蜜——蜂蜜的食物藥性屬涼性，萵苣也性涼，兩者同吃，易導致腹瀉。

🌱 也有禁忌！

1️⃣ 脾胃虛寒、腹瀉的人忌吃。
2️⃣ 有眼部疾病和痛風症狀的人也不能吃。

干貝萵筍絲

材料┃

干貝50克，萵筍300克，胡蘿蔔1個，大蒜、花生油各10克，鹽5克，紹興酒2克，太白粉適量。

製作方法┃

1　將干貝加入紹興酒、清湯蒸透，撕成絲，萵筍、胡蘿蔔去皮切絲，大蒜剁成粒。
2　鍋內燒油，放入蒜粒爆香，加入胡蘿蔔絲、萵筍絲，用中火炒至八分熟。
3　再加入干貝絲，加入鹽炒透，用太白粉勾芡，起鍋裝盤即成。

用 法 ─────
佐餐。

功 效 ─────
滋陰、補腎、調中、利水、消腫。

4~6個月 懷孕中期忌吃食物

忌 螃蟹

　　螃蟹為食中佳餚。中醫學認為螃蟹性寒味鹹，蟹肉有清熱、散血結、續斷傷、理經脈和滋陰等功用；其殼可清熱解毒、破瘀青積止痛。螃蟹肉質細嫩，味道鮮美，營養也十分豐富，蛋白質的含量比豬肉、魚肉都要高出幾倍，核黃素、鈣、磷、鐵和維生素A的含量也較高。不過，鮮美的螃蟹並非人人皆宜。患有某些疾病的人應禁食或少食。

▌忌之有因

　　中醫認為，螃蟹性質極度寒涼，有活血化瘀的作用，脾胃虛寒的人吃了會導致腹痛、腹瀉，而體質虛弱的孕婦食用後，可能導致流產，尤其是蟹爪，它有明顯的墮胎作用。

▌也有適宜

　　孕婦臨產而胎兒遲遲不下時，可吃適量的螃蟹或蟹爪以利生產。

忌 蜜餞

　　蜜餞是用桃、杏、梨、棗等水果加糖或蜜製成的食物，如：話梅、蜜棗等。

▌忌之有因

　　在製作蜜餞的過程中，往往會在裡面添加大量的人造色素和防腐劑，而孕婦的新陳代謝一般比常人要慢，不可能很快地將這些有害的化學品排出體外，進而會損害母體及胎兒的健康。

▌也有適宜

　　蜜餞通常是甜中帶酸，有開胃健脾的作用，因此消化不良及食慾不振的孕婦可以少量食用，能使症狀得到改善。

忌 咖啡

▌ 忌之有因

　　長期大量飲用咖啡，大多數人會罹患上失眠症，增加胰腺癌的發病率；使血壓升高，易患心臟病。咖啡中的咖啡鹼會破壞維生素B_1，使人出現煩躁、容易疲勞、記憶力減退、食慾下降、便祕等症狀，嚴重時會導致神經組織損傷（萎縮）及浮腫。如果孕婦每天大量飲用咖啡，那麼出生的嬰兒會沒有正常嬰兒活潑，身體也不夠健壯。

　　攝取過量咖啡因還會影響胎兒的骨骼發育，導致手指、腳趾畸形，也會增加流產、早產、嬰兒體重過輕等症狀的可能性。

忌 油條

▌ 忌之有因

　　在製作油條的過程中需要加入明礬，明礬是含鋁的無機物，每500克麵粉的油條，大約要用15克明礬。如果孕婦每天吃兩根油條，就等於吃了3克明礬，這樣對鋁元素的攝取量相當多，而這些鋁元素會經由胎盤侵入胎兒的大腦，造成胎兒大腦發育障礙。

忌 糖精及含糖精的食物

▌ 忌之有因

　　糖精的主要成分是糖精鈉，沒有營養價值。雖然純淨的糖精對人體無害，但孕婦如果長時間食用過量糖精或飲用含糖精的飲料等，會對胃腸道黏膜產生強烈的刺激作用，影響某些消化酶的功能，出現消化功能減退，產生消化不良症狀，造成營養吸收功能障礙，對母體和胎兒造成很大的損害。

　　另外，糖精是經由腎臟排出的，多吃糖精及含糖精的食物還會加重腎臟負擔。

 花椒

花椒古名椒、椒聊等，屬芸香科，以粒狀呈現居多，多半是用來做香料，供調味使用。在料理上大部分是用來消除魚蝦、牛、雞、鴨等肉類本身的腥味，最常使用在麻辣鍋及五更腸旺等菜式上，也被用來撒在披薩上增加辣味。由於其果皮暗紅，密生粒狀突出的腺點，猶如細斑，花椒之名由此而來。

忌 芥末

芥末又稱芥子末、芥辣粉，是芥菜的成熟種子碾磨成的一種辣味調味料。芥末粉於乾燥時並無氣味，必須加水混合才會產生強烈刺鼻的辣味，加鹽、醋或其他香料混合之後，就成了我們所熟悉的芥末醬。

忌 胡椒

胡椒又名白川、黑川，主要產於印度，可以溫暖腸胃，消除牙齒的腫痛。除了一般較常使用的黑、白胡椒之外，另外還有紅、綠兩種，主要是成熟度與烘焙程度的不同。白胡椒以藥用價值為主，調味次之，功能可散寒、健胃等，尤其對肺寒、胃寒更有療效。黑胡椒味道比白胡椒更為濃郁，廚師們於是別出心裁地把它應用於烹調菜餚上，使其達到香中帶辣、美味醒胃的效果。

忌 辣椒

　　辣椒又名尖椒。青辣椒可做為蔬菜食用，乾的紅辣椒則是人們愛用的調味品。辣椒是香辛味的蔬菜類植物，營養價值高，含豐富的維生素A、C，具有禦寒、刺激食慾與防腐的功效，在烹調上做調味料使用，亦有去除菜餚中腥味與殺菌的效用，在日本還有人流行用辣椒茶來減肥。

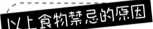

以上食物禁忌的原因

　　以上食物都屬於熱性食物，具有強刺激性，容易消耗腸道水分，造成腸道乾燥、便祕。腸道發生祕結後，孕婦必然用力屏氣排便，引起腹壓增大，壓迫子宮內的胎兒，易造成胎動不安、胎兒發育畸形、羊水早破、自然流產、早產等不良後果。

忌 生冷食品

▌忌之有因

　　寒涼食物易損傷脾胃，影響消化功能，並易致瘀血滯留，可引起產後腹痛、產後惡露不絕等。各種冷飲、冰凍飲料、涼拌菜等低溫食品應忌食。一些涼性食物如梨、甘蔗、柿子、各種瓜果及綠豆、螃蟹等亦應忌食。在懷孕期食用冰淇淋、雪糕、冷飲等，會導致身體疲乏無力、精神不振，因為冷飲中大多含有磷酸鹽，會同人體內的鐵質產生化學反應，使鐵質難以吸收。另外，過量飲用汽水會因汽水中的碳酸氫鈉和胃液中和，降低胃酸的消化能力及殺菌作用，影響食慾。

發霉馬鈴薯

馬鈴薯又名洋芋，原產於祕魯，因其含有高度的營養價值而為美國的營養學家推崇為「十全十美」的食物；而含量甚豐的澱粉質及微乎其微的脂肪，也使得馬鈴薯被歐美許多地區當作主食，博得「第二麵包」之名。

忌之有因

發霉馬鈴薯含有一種叫龍葵素的毒素。孕婦如果長期大量吃含龍葵素的馬鈴薯，會對胎兒產生危害，導致胎兒畸形；而且這種毒素經過常規的水浸、蒸煮等烹調方法處理後，也不會消失，因此孕婦最好不吃發霉馬鈴薯。

用馬鈴薯製成的洋芋片雖然接受過高溫處理，龍葵素的含量會相對減少，但卻含有較多的油脂和鹽分，多吃會誘發妊娠高血壓綜合症，增加妊娠風險，因此孕婦也不宜吃洋芋片。

 # 鹹魚

忌之有因

鹹魚含有大量的有害物質，而這些有害物質進入人體後會轉化為致癌物質，並會經由胎盤對胎兒產生作用，是一種危害性很大的食物，因此懷孕期一定不要吃鹹魚。

忌 生雞蛋

忌之有因

1 生雞蛋中含有一種對人體有害的鹼性蛋白質——抗生物蛋白,大量攝取這種蛋白質,會阻礙人體對生物素的吸收,使人全身乏力、食慾不振、噁心、嘔吐等。

2 生雞蛋的蛋白質不容易被吸收。

3 食用生雞蛋容易導致胃腸炎,使人畏寒、發熱、噁心、嘔吐、腹痛、腹瀉。

忌 白酒

　　白酒又叫燒酒、白乾兒、火酒,它是用高粱、玉米、番薯、稗子、米糠等糧食或其他果品發酵、蒸餾而成。因為沒有顏色,所以叫白酒;因酒精含量較高,所以又稱為燒酒或高度酒。

忌之有因

　　懷孕期即使少量飲酒,也會對胎兒的成長發育造成影響。如果飲酒過量,那危害更大,會導致胎兒畸形,影響胎兒的智商和生理上的發展,因此懷孕期基本上應該避免喝酒。

也有適宜

　　也可做為調味品,烹調時使用少許,可使菜餚更加美味。

懷·孕·後·期·飲·食·宜·忌

懷孕後期為了安全生下寶寶，在生活與營養的飲食方法上顯得十分重要。另外，要細心預防高血壓和早產，並分出足夠的時間和精力，為分娩最好充足的準備。

準媽媽的保健須知

懷孕後期是令孕婦感到非常痛苦的時期，隨著胎兒的增大，腹部逐漸膨脹，所以對準媽媽的身心會遭受很大的考驗。要細心的預防懷孕高血壓和早產，分出足夠的時間和精力，為分娩做好充分準備。

✿ 生理特徵

第7個月

☆ 體重增加約6～11公斤，行動變得更加遲緩，睡覺時翻身比較困難，容易引起下肢水腫和晨起腰痛。

☆ 子宮比肚臍高6～7公分，因此上腹部明顯凸出、脹大，感到呼吸困難、費力。

☆ 因子宮增大，下肢靜脈被壓迫，下肢、外陰部靜脈曲張會更明顯。

☆ 子宮肌肉對各種刺激開始敏感，胎動變得頻繁和劇烈，子宮偶爾會有收縮現象。

☆ 貧血情形嚴重。

☆ 容易出現便祕、頻尿、痔瘡等症狀。

> 子宮底高度約21～26公分，羊水量約600～800c.c.。

第8個月

☆ 胸口及胃部因為子宮壓迫而有心悸、噁心、腹脹等現象。

☆ 體重又增加1～2公斤，也就是增加約7～12公斤。

☆ 乳房及下腹部會發生紅色線條（筋脈性妊娠紋），這是肌肉彈性纖維斷裂所致，這個叫做妊娠線，生產後孕婦會逐漸淡化為銀白色的線條；乳房、下腹及外陰部的顏色變深。

☆ 腰部及其他部位會感到痠痛，下肢浮腫、靜脈曲張浮出。

☆ 肚子很硬而且膨脹，因為子宮仍然有收縮現象。

☆ 傍晚易有下肢水腫現象。早晨起床手指發麻。

☆ 容易疲倦，有時甚至會感到心悸，而鈣質攝取不足者易抽筋。

> 子宮底高度25～30公分，羊水量約600～800c.c.。

第9個月

☆ 胃、肺與心臟備受壓迫,感覺心口悶熱、心跳加快、呼吸困難、食慾不佳。

☆ 肚子愈來愈大,妊娠紋增加了很多,有時腹部會發硬,可採取平躺的休息方法。

☆ 下肢會出現輕度的浮腫,休息後可消退,因為這是正常的。

☆ 妊娠斑和雀斑會增加;便祕和痔瘡的情形會加重。

☆ 夜間可能會發生小腿肌肉痙攣,這主要是由缺鈣和鎂以及維生素E所引起的。

☆ 肚臍凸出,子宮出現無痛性收縮。

☆ 體重再增加1~2公斤,也就是增加約8~13公斤。

子宮繼續增大,子宮底高度32~38公分,羊水量1000c.c.。

☆ 反胃、胸口鬱悶的感覺強烈,以及頻尿、尿失禁、便祕、腰痠背痛的情況更加嚴重,易有產前憂鬱症產生。

☆ 乳腺有時會有奶汁排出,這叫做初乳,應輕輕用軟布或棉花以清水擦拭保持清潔。

第10個月

☆ 乳房由於乳腺不斷增生,變得碩大圓潤,乳頭外凸,不時有分泌物溢出。

☆ 懷孕全程,母親體重總共會增加10~14公斤。

☆ 腹部開始下降,感覺上好像往前下方突出;胃部的壓迫感消失,產生食慾,多數人會感覺到不規則的腹部膨脹感。

☆ 因為胎兒頭部完全進入母體骨盆腔內,此現象會壓迫母親膀胱及腸道,造成母親再度頻尿或覺得尿不乾淨。

☆ 不規則陣痛、浮腫、靜脈曲張及痔瘡等,在分娩前更加明顯。

子宮底高度約32~35公分,羊水量600~800c.c.。

❀ 心理特徵

1 懷疑自己的能力，誇大自己的失敗，憂慮、緊張、不安，使行動刻板、睡眠不好、注意力不集中等，嚴重時可發展為病態——妊娠焦慮症。

2 這時，孕婦非常渴望得到別人的體貼和理解。因此，準爸爸要經常抽空陪準媽媽。

3 準媽媽自身也應該了解焦慮情緒的危害，學會克服不良情緒。

4 對家庭生活方面的瑣事也要胸襟開闊，避免生悶氣和發怒。

5 準媽媽一定要盡量避免看有噁心刺激的電影和電視，以免引起過度的情緒波動。

❀ 性保健

臨產前1～2個月必須嚴格禁止性生活，因為此時胎兒隨時有分娩的可能，性交會引起子宮收縮，導致早產、早期破膜、感染，增加新生兒的死亡率。

❀ 營養需求

1 攝取均衡膳食。營養缺乏或營養過剩會對母體和胎兒產生不良影響。

2 注意食物的多樣化和適當搭配：動植物搭配、主副食搭配、粗細糧搭配、糧豆類搭配。因為各種食物都有特殊的營養成分，吃不同的食物，才能獲得不同的營養。

3 多吃清淡食物，有利於胎兒的生長發育。飲食做到定時定量。

4 注意攝取微量元素，如多吃一些粗麵、粗加工的米和營養素比較完整的蔬菜和水果。

❀ 飲食原則

1 如果孕婦出現水腫、高血壓症狀，應採用少鹽、無鹽膳食，或利尿膳食，如：紅豆粥、冬瓜湯、烏魚湯，同時與蛋類、肝類、水果、蔬菜一起食用。

2 多吃蛋黃、豬肝、毛豆、青江菜、菠菜、芥菜等含鐵豐富的食物。

3 乳製品、大豆、蝦殼、海帶等富含維生素B_1，可多吃。

4 也可多吃一些萵筍、芹菜等含纖維質多的蔬菜及蘋果、香蕉、枇杷、桂圓、葡萄、柑橘等清熱生津的水果。

5 臨產前應吃一些補虛溫中而營養豐富的食物，如：紅燒海參、清蒸龍蝦等。

寶寶的生理變化⋯⋯

第7個月

- ▶ 舌頭上的味蕾正在形成，知道甜味和苦味。
- ▶ 眼瞼分開為上下兩部分，眼睛已經可以睜開，手腳可自由伸展擺動。
- ▶ 視覺神經漸發育，但仍看不見任何東西，能感受到外界的光。
- ▶ 腦部發育完全，開始有記憶、思考、感情等能力。
- ▶ 胎兒非常活躍，胎位仍會改變，有睡眠與活動交替的現象，對外界聲音有反應。

身高約35～40公分，體重約1000～1200公克，約1串香蕉的重量。

第8個月

- ▶ 骨骼大致形成，神經和肌肉的功能旺盛，體重迅速增加。
- ▶ 聽覺功能幾乎完全發展成熟，對外界強烈的聲音會有反應。
- ▶ 胎兒的位置大致固定。若胎兒的位置非頭下腳上，可採膝胸臥式進行矯正。
- ▶ 胎兒活動的次數比原來少了，動作也減弱了。
- ▶ 眼睛能自由開合，甚至能跟蹤光源，會吸吮拇指，且可伸長手腳。

身高成長約38～43公分，體重約1500～1800公克，約8個葡萄柚的重量。

第9個月

- ▶ 外觀上的發育大致完成，胎髮已經長出來了，指甲也長長了。
- ▶ 已經逐步建立起自己每日的活動週期。
- ▶ 皮下脂肪增厚，皮膚沒有紋路呈粉紅色；胎毛漸消除，指甲已長好，皮膚變得平滑，男女性器官完成。
- ▶ 循環、呼吸、消化及性器等器官功能發展成熟。

身高成長約45～50公分，體重約2500～3000公克，約1個西瓜的重量。

第10個月

- ▶ 外觀機能發育完全，體內器官機能亦已成熟，能在母體外獨立生存。
- ▶ 胎毛逐漸脫落、消失，胎脂佈滿全身，特別是腋下及股溝。
- ▶ 皮下脂肪豐厚，胎兒較圓滾，這些脂肪儲備對寶寶出生後的體溫調節十分有益。

身高成長約48～52公分，體重約2800～3200公克，約2個哈密瓜的重量。

胡蘿蔔

 宜

胡蘿蔔又名紅蘿蔔、金筍、丁香蘿蔔。有紅、紫紅、橘黃、薑黃等品種。由於營養成分高，可比人參，加上容易自行栽種食用，因此又稱為「平民的人參」。生吃時口感甜脆，熟食則味道鮮美，荷蘭人甚至將它列為國菜之一。

🥕 食之有理！

胡蘿蔔的根和葉含豐富的胡蘿蔔素，食用後可以轉化成人體所需的維生素A；常吃胡蘿蔔，可以強化視力，改善貧血，保持人體表皮細胞的正常運作；維生素A對黏膜組織的自我修復非常重要。

胡蘿蔔可說是一種難得的果、蔬、藥兼用的食材，比擬為人參，真是實至名歸。胡蘿蔔不僅含醣類高於一般蔬菜，而且含有蛋白質、脂肪、礦物質以及多種維生素等營養成分。因此在懷孕期食用胡蘿蔔，可以為母體和嬰兒補充許多有益健康的營養素。

中醫師有話要說

中醫學也記載，胡蘿蔔味甘辛，性微溫，具有「下氣補中、利脾膈、潤腸骨、安五臟」的功效，經常吃胡蘿蔔對增強中老年人體質、防治呼吸道感染，調節新陳代謝，以及增加抵抗力有顯著的效果。

🥕 相剋食物！

✗ 醋──同吃會破壞胡蘿蔔素，影響對營養的吸收。

✗ 酒──同吃會使大量胡蘿蔔素與酒精一同進入人體而在肝臟中產生毒素，導致肝病。

🥕 也有禁忌！

不能過量食用，否則會使皮膚變黃。

懷孕後期選擇減少鹽的烹飪方式

孕期吃鹽過多會造成身體浮腫、高血壓等嚴重後果。因此在懷孕後期，必須特別注意鹽的攝取量。如果原來口味偏重，懷孕期間就更應當注意，必須讓自己轉變口味，改吃清淡的食物。做菜時盡量使用天然調味料，並注意選用一些能減少人體鹽分的烹飪方式，例如，為了增加湯的味道可以適當的加入鰹魚、海帶等香辛料。

羊肝胡蘿蔔粥

材料 |

羊肝50克,胡蘿蔔100克,白米150克,生薑、蔥、鹽各5克,胡椒粉少許,
紹興酒3克。

製作方法 |

1 將羊肝切薄片,用紹興酒醃漬,胡蘿蔔去皮切成粒,白米洗淨,生薑切成粒,蔥
　切成花。

2 取鍋子1個,倒入適量清水,用中火燒開,倒入白米、薑粒,改用小火煮約35分鐘。

3 最後再放入羊肝、胡蘿蔔,加入鹽、胡椒粉,煮10分鐘後,撒入蔥花即可食用。

用　法 ─────
早、晚餐食用。

功　效 ─────
滋養明目。

鯉魚

鯉魚俗稱鯉拐子、毛子等，屬於鯉科。鯉魚一直被視為上品魚，牠是勤勞、善良、堅貞、吉祥的象徵。

食之有理！

鯉魚肉味甘、性平，有下水氣、利尿消腫功效；在治療靜脈肝硬化、慢性腎炎、消瘦性浮腫、孕婦水腫、產婦乳汁不通或量少、全身虛弱、婦女月經失調、腰疼痛、頭昏、不思飲食、婦女血崩、咳嗽氣喘、腳氣腫痛、步行艱難等症狀方面均有很大的幫助。鯉魚體內含鈣、磷營養素較多，刺少肉多，十分味美。

也有禁忌！

鯉魚為容易助火、生痰的食品，有痼疾的人應慎用。

相剋禁忌！

✘ 綠豆、豬肝。

食譜推薦 Food Recommend

冬瓜鯉魚湯 🍴

用法 ——————
佐餐。

功效 ——————
有補脾益胃、利水消腫作用，懷孕後期最適宜食用。

材料 |
嫩冬瓜100克，鯉魚1條（約400克），枸杞3克，生薑10克，青江菜20克，花生油10克，鹽5克，胡椒粉少許，紹興酒3克。

製作方法 |
1　將嫩冬瓜去皮、籽切成絲，鯉魚處理乾淨，生薑切絲，青江菜洗淨。
2　鍋內燒油，放入鯉魚，用小火煮透，加入薑絲，倒入紹興酒，加入適量清湯，待湯質白時再加入冬瓜絲。
3　枸杞、青江菜，加入鹽、胡椒粉，續煮7分鐘即可食用。

紅豆

紅豆又名赤豆、朱赤豆，為蝶形花科紅豆樹的種仁，是秋季成熟的常見小雜糧。它既可做粥、飯，也可燉湯或煮食，做茶飲也很合適，主要用途以甜食為主，亦可製糕餅、紅豆粉、紅豆餡、羊羹、紅豆罐頭等。

食之有理！

紅豆所含的營養物質超過了許多食品，如：小麥、小米、玉米等。紅豆的蛋白質含量為17.5～23.3%、澱粉48.2～60.1%、食物纖維5.6～18.6%。除此之外，紅豆還含有多種無機鹽和微量元素，如：鉀、鈣、鎂、鐵、銅、錳、鋅等。紅豆具有很高的藥用和良好的保健作用，中醫認為，紅豆具有清熱解毒、健脾益胃、利尿消腫、通氣除煩，可治療小便不利、健脾止瀉、脾虛水腫、改善腳氣浮腫等功效。紅豆富含鐵質，能使人氣色紅潤，多吃還可補血、促進血液循環、強化體力、增強抵抗力，是女性健康的良好夥伴。

也有禁忌！

紅豆久服或過量食用會令人產生燥熱，應遵醫囑；另外也有利尿效果，所以尿多的人要避免食用。

食譜推薦 Food Recommend ── 紅豆鯉魚湯

材料 |
鯉魚1條（約450克），紅豆30克，白果15克，生薑、蔥各10克，花生油18克，鹽6克，紹興酒3克，胡椒粉少許。

製作方法 |
1. 將鯉魚處理乾淨，在魚背上劃上花刀，紅豆用溫水泡透，生薑切成片，蔥切成段。
2. 鍋內燒油，待熱時，放入鯉魚，用小火煎透，倒入紹興酒、薑絲，倒入適量清水，加入紅豆，用中火煮至湯濃。
3. 再放入白果、蔥段，加入鹽、胡椒粉，續煮8分鐘至透，即可食用。

用 法 ────
佐餐。

功 效 ────
可治妊娠水腫及其他水腫。

117

扁豆

扁豆又名菜豆、四季豆、刀豆、蕓豆、豆角等，是豆科藤本植物扁豆的成熟種子，其性甚溫暖，適應性強，一年之中，世界各地都有生產，是全世界栽培面積最大的食用豆類作物。晒乾、生用或炒用，其花、種皮亦可入藥。

🌿 食之有理！

扁豆的營養成分十分豐富，不僅富含蛋白質和多種胺基酸，還含有胰蛋白酶抑制劑、澱粉酶、血球凝集素A、血球凝集素B，並含有豆甾醇等。經常食用扁豆能健脾胃，增進食慾；夏天多吃扁豆能消暑。扁豆味甘、性平。其具有健脾和中、祛溼止渴的功用，可治暑溼吐瀉、脾虛嘔逆、食少便溏、泄瀉、水腫、帶下等，適合懷孕後期的女性食用。

🌿 也有禁忌！

經過雨淋霜打的鮮扁豆含有大量的皂苷和血球凝集素，食用時如果沒有熟透，則會發生中毒，因此烹調時間宜長不宜短，直至變色熟透，方可安全食用。

食譜推薦 Food Recommend ── 扁豆紅糖山藥粥 🍴

材料 |
乾扁豆、紅糖各30克，新鮮山藥50克，白米150克。

製作方法 |
1 將乾扁豆用溫水泡透，鮮山藥去皮切成粒，白米用清水洗淨。
2 取鍋子1個，加入適量清水，用中火燒開，放入乾扁豆、白米，改用小火煮約30分鐘。
3 再放入鮮山藥，加入紅糖，續用小火煮15分鐘即可食用。

用 法 ────
每日1次，佐餐食用。

功 效 ────
可健脾化溼。

蘋果

蘋果，古稱柰，又叫頻婆，屬薔薇科植物，其果實酸甜可口、營養豐富，是老幼皆宜的水果之一。它有很高的營養和醫療價值，因此被愈來愈多的人稱為「大夫第一藥」。

🍎 食之有理！

蘋果含豐富醣類，主要含蔗糖、還原糖，以及蛋白質、脂肪、多種維生素和鈣、磷、鐵、鉀等礦物質；尚含蘋果酸、奎寧酸、檸檬酸、酒石酸、單寧酸、黏液質、果膠、胡蘿蔔素，果皮含三十蠟烷。蘋果內含鉀鹽，可使體內鈉鹽及過多鹽分排出，有助降低血壓。蘋果所含的有機酸類成分，能刺激腸蠕動，並和纖維質共同作用可利於排便，保持大小便暢通。蘋果中也含果膠物質，可以調整人體生理機能。

🍎 也有禁忌！

✗ 蘿蔔——同吃容易導致甲狀腺腫。

🍎 也有禁忌！

飯後不宜馬上吃蘋果。吃蘋果的最佳時間是在飯前1小時或飯後2～3小時。

食譜推薦 Food Recommend

拔絲蘋果 🍴

用法
佐餐。

功效
色澤金黃，軟嫩微酸，可平肝益氣。

材料｜
蘋果500克，白糖、雞蛋白、麵粉、栗粉各100克，花生油800克。

製作方法｜

1 先將蘋果去皮、核後切成塊；栗粉與蛋白混合攪勻成糊狀。

2 在蘋果外皮滾上一層薄薄的麵粉，再放進糊裡抓勻。

3 鍋裡倒入花生油，燒熱時將蘋果放入，邊炸邊用筷子撥動，呈金黃色時撈出。

4 鍋內留少許油，放入白糖，當其呈金黃色出絲時，迅速倒入炸好的蘋果，將鍋離火，使糖汁均勻地沾在蘋果上即可。

文蛤

文蛤又名花蛤，其貝殼兩片堅厚，背緣蛤略呈三角形，腹緣呈圓形。殼面膨脹光滑釉質，花紋豐富美觀，蛤肉光白如玉。蛤肉肉質鮮美無比，被稱為「天下第一鮮」、「百味之冠」。一般作湯，浸漬調味料為鹹文蛤，或炒或烤，為海鮮店不可或缺之材料，價格不貴，家庭主婦亦視之為一般菜餚羹湯材料，為極普遍之海鮮產品。

 食之有理！

文蛤富含蛋白質、牛磺酸、鈣、鎂、磷、鐵等多種礦物元素及維生素。每100g文蛤肉中含牛磺酸達266mg，牛磺酸除具有降低人體血液中膽固醇、調整血壓、增強視力等作用外，還有助於中樞神經、末梢神經，特別是新生兒腦部發育。蛤肉的營養特點是高蛋白、高微量元素、少脂肪。其豐富的鐵質可以預防貧血及改善虛弱體質。另外，蛤蜊富含維生素E，有助於預防老年癡呆以及細胞老化的效果。

中醫師有話要說

中醫認為，蛤肉味鹹，性寒，有滋陰明目、軟堅、化痰、益精潤燥的作用，因此也適合女性懷孕後期食用。

 也有禁忌！

1 蛤也是容易助火、生痰的食品，有宿疾者應慎食。

2 脾胃虛寒者不宜多吃。

3 烹製時千萬不要再加味精，也不宜多放鹽，以免失去鮮味。

4 不要食用未熟透的蛤肉，以免傳染上肝炎等疾病。

預防貧血的最佳食品

對孕婦來說，最容易缺乏的成分就是鐵。如果缺鐵，就容易導致貧血，並會增加難產的可能性。雖然大部分孕婦會服用補鐵營養品，但是應盡量透過食物攝取鐵質較佳。富含鐵質的食品有豬肝、雞肝、牛肝等，而且人體對於這些食品的吸收率也很高。此外，還有鮮魚、貝類、牡蠣等水產類；豆類和綠色蔬菜也都是補鐵最佳食品。吃這些食物時，最好同時食用有助於鐵質吸收的蛋白質、維他命B群、維他命C等。

蛤肉炒豆腐

材料 |

蛤肉100克，豆腐200克，花生油15克，
鹽、料酒各適量。

製作方法 |

1 先將豆腐洗淨切塊，鍋內燒水，待水開後
放入豆腐略煮，撈出備用。

2 鍋內燒油，待熱後放入蛤肉炒至五分熟
時，倒入料酒，再加入豆腐和鹽合炒至
熟，調味即可。

用法

佐餐。

功效

蛤蜊肉有滋陰潤燥、利水消腫、軟堅散結、
潤五臟、止消渴的作用。豆腐除具備黃豆
的營養成分外，其還有味甘、性涼，清熱解
毒、生津潤燥等藥用功效。

魷魚 宜

魷魚也稱柔魚、槍烏賊，魚身較長，呈白玉色，背部有棗紅色斑點。味鮮甜而爽脆者為上品，又可晒乾，營養價值很高，是名貴的海鮮產品。

食之有理！

魷魚中含有豐富的鈣、磷、鐵元素，對骨骼發育和造血十分有益，可預防貧血。魷魚除了富含蛋白質以及人體所需的胺基酸外，還含有大量牛磺酸，是一種低熱量食品。可舒緩解疲勞，恢復視力，改善肝臟功能。其所含的多肽和硒等微量元素有抗病毒、抗射線作用。

也有禁忌！

1. 高血脂、高膽固醇、動脈硬化等心血管疾病及肝病患者應慎食；魷魚性質寒涼，脾胃虛寒的人應少吃。
2. 魷魚也是容易助火、生痰的食品，患有溼疹、蕁麻疹等疾病的人忌食。
3. 魷魚須煮熟透後再食用。

食譜推薦 Food Recommend

火腿魷魚湯

用法
佐餐。

功效
滋陰養胃、補虛潤膚。

材料▕
鮮魷魚200克，火腿80克，香菜25克，生薑10克，花生油8克，鹽6克，胡椒粉少許。

製作方法▕
1. 將魷魚洗淨切成片，火腿、生薑切成片，香菜洗淨切成段。
2. 加油熱鍋，放入薑片爆香，倒入適量清湯，加入火腿，用中火煮開。
3. 再放入鮮魷片，加入鹽、胡椒粉、香菜續煮5分鐘，起鍋盛入碗內即成。

 宜

鴿肉

鴿子又名白鳳，肉味鮮美，消化吸收利用率高，是人們的滋補食品和健美食品；鴿肉味道鮮美，配以中藥有益氣、補腦、強筋、補腎之功效。

食之有理！

鴿肉蛋白質含量為22%～23%，高於豬肉等其他肉類；鴿肉的肉質優良，含有人體所必需的多種胺基酸和豐富的維生素及礦物質。對病後體弱、頭暈神疲、記憶衰退有很好的補益治療作用。貧血的人食用後有助於恢復健康，它也適合習慣性流產和孕婦胎漏者食用。鴿肉補肝腎、益精血，補益作用以白鴿為最佳。

也有禁忌！

一次不能食用過量。

中醫師有話要說

中醫認為，鴿肉味甘、鹹，性平，歸肝、腎經。易於消化，具有滋補益氣、驅風解毒的作用，主治久病體弱、營養不良、神經衰弱、健忘失眠、消渴、婦女血虛經閉、惡瘡疥癬。

食譜推薦 Food Recommend

鴿肉參耆湯

材料 |
白鴿1隻，黨參20克，黃耆、淮山（乾的山藥）各30克，調味料適量。

製作方法 |
將白鴿切塊，放入砂鍋中，與黨參、黃耆、淮山一同用水煮熟，調味即可。

用法
可隔日服食1次，連續食用3～5次。

功效
淮山味甘性平，補脾養胃；黃耆味甘微溫，健脾補中，抗疲勞；黨參味甘性平，補益脾肺，調節胃腸蠕動；鴿肉味鹹性平，滋腎益氣。

核桃

核桃又名胡桃，在國際市場上它與扁桃、腰果、榛子，並列為世界四大乾果。在國外人稱其「大力士食品」、「營養豐富的堅果」、「益智果」；在台灣則享有「萬歲子」、「長壽果」的美稱。

食之有理！

核桃仁含有豐富的營養素，每100克含蛋白質15～20克、脂肪60～70克、碳水化合物10克；並含有人體必需的鈣、磷、鐵等多種微量元素和礦物質，以及胡蘿蔔素、核黃素等多種維生素。核桃中所含脂肪的主要成分是亞油酸甘油脂，食後不但不會使膽固醇升高，還能減少腸道對膽固醇的吸收，因此，可做為高血壓、動脈硬化患者的滋補品。此外，這些油脂還可供給大腦基質的需要。

核桃中所含的微量元素鋅和錳是腦垂體的重要成分，常食有益於腦的營養補充，有健腦益智作用。核桃不僅是最好的健腦食物，又是神經衰弱的治療劑。患有頭暈、失眠、心悸、健忘、食慾不振、腰膝痠軟、全身無力等症狀的老年人，每天早晚各吃1～2個核桃仁，即可達到滋補治療作用。核桃仁還對其他病症具有較高的醫療效果，如它具有補氣養血、潤燥化痰、溫肺潤腸、散腫消毒等功能。近年來的科學研究還證明，核桃樹枝對腫瘤有改善症狀的作用，以鮮核桃樹枝和雞蛋加水同煮，然後吃蛋，可用於預防子宮頸癌及各種癌症。

相剋食物！

✘ 野雞肉、白酒。

也有禁忌！

陰虛內熱、腹瀉、支氣管擴張的人都應忌吃核桃。

中醫師有話要說

中醫學認為核桃性溫、味甘、無毒，有健胃、補血、潤肺、養神等功效，它無論是配藥用，還是單獨生吃、水煮、燒菜，都有補血養氣、補腎填精、止咳平喘、潤燥通便等良好功效。常吃核桃能夠補腦，改善腦循環，增強腦力。同時還有使頭髮烏亮、皮膚光潤的作用，因此也適合女性懷孕期食用。

核桃仁炒豬腰

材料 ┃

核桃仁30克，枸杞20克，豬腰2個，生薑、蔥各10克，植物油20克，鹽5克，胡椒粉少許，紹興酒3克，太白粉適量，香油少許。

製作方法 ┃

1　將核桃仁用油炸熟，枸杞泡透，豬腰去內白切成丁，生薑去皮切成小片，蔥切成小段。

2　鍋內燒油，放入薑片、豬腰丁，倒入紹興酒。

3　用中火炒至豬腰硬身時，再放入核桃仁、枸杞，加入鹽、胡椒粉炒透，用適量太白粉水勾芡，淋入香油，加鹽調味炒勻，最後加入蔥即可。

用 法
因核桃仁富含油質，可潤腸通便，故慢性腸炎患者不宜食用。

功 效
滋補肝腎，強腰壯體。

黃豆芽

黃豆生芽過程中，黃豆中不能為人體吸收，又易使腹部脹氣的棉子糖、鼠李糖等消失，這就避免了吃黃豆所引起的脹氣現象，因此常食用黃豆芽，能得到黃豆中所含的有益營養，又易於消化吸收。豆芽與筍、菌並列為素食鮮味三霸。

 食之有理！

黃豆芽含有豐富維生素C，可促進紅血球生成，使貧血容易好轉，並增加抵抗力、減少疾病感染的機會；若缺乏維生素C，易發生牙齦出血、黏膜出血等壞血病。黃豆在發芽過程中，由於酶的作用，更多的鈣、磷、鐵、鋅等礦物質元素被釋放出來，這又增加了黃豆中礦物質的人體利用率。黃豆發芽後，除維生素C外，胡蘿蔔素可增加1〜2倍，維生素B$_2$增加2〜4倍，菸鹼酸增加2倍多，葉酸倍增，所以吃豆芽能減少體內乳酸堆積，消除疲勞。

 相剋食物！

✘ 豬肝——豬肝中的銅會加速豆芽中的維生素C氧化。

 也有禁忌！

黃豆芽性寒，因此慢性腹瀉及脾胃虛寒的人應忌食。

食譜推薦 Food Recommend

排骨黃豆芽湯

材料｜
排骨300克，黃豆芽200克，番茄1個，生薑、花生油各10克，鹽8克。

製作方法｜
1. 將排骨剁成塊，黃豆芽洗淨去根，番茄洗淨切成塊，生薑去皮切片。
2. 加油熱鍋，放入薑片、排骨，用中火炒至排骨五分熟時，倒入適量清湯煮至八分熟。
3. 再放入黃豆芽、番茄，加入鹽，續煮5分鐘至透即可。

用 法
佐餐。

功 效
此菜色澤鮮豔，口味清香。具有補氣健胃、潤燥、利水消腫的作用，可治療高血壓，適用於女性懷孕後期食用。

綠豆芽

綠豆經水浸泡發出嫩芽，稱之為綠豆芽，其色澤潔白如玉。綠豆芽發製容易，烹調簡便，且吃法甚多，可謂物美價廉。

食之有理！

研究發現，綠豆芽中含有蛋白質、脂肪、碳水化合物、多種維生素、纖維質、胡蘿蔔素、菸鹼酸和磷、鋅等礦物質，具有多種用途。因為含纖維質，綠豆芽與韭菜同炒，可用於防治老年及幼兒便祕，既安全又有效；綠豆芽含多種維生素，經常食用對於維生素B_2缺乏所引起的舌瘡口炎、維生素C缺乏所引起的疾病等都有輔助治療作用。美國人很推崇綠豆芽，認為它是最適合肥胖人進食的蔬菜之一。

相剋食物！

✘ 香榧子、鯉魚。

也有禁忌！

脾胃虛寒者不宜久食。

食譜推薦 Food Recommend

綠豆芽炒鱔絲

用法 ——————
佐餐。

功效 ——————
清熱解毒，利水消腫。

材料 |

綠豆芽100克，殺好的鱔魚肉60克，青、紅椒各1個，薑10克，花生油15克，鹽5克，胡椒粉少許，紹興酒2克，太白粉適量。

製作方法 |

1 將綠豆芽去根洗淨，鱔魚肉切成絲（加入紹興酒、胡椒粉醃好），青、紅椒切成絲，生薑去皮切成粒。

2 鍋內燒油，放入薑粒爆香，續放入鱔魚絲，炒至五分熟時放一邊。

3 最後再放入綠豆芽，青、紅椒絲，加入鹽，和鱔魚一起炒至入味而透，用適量太白粉水勾芡，炒勻，裝盤即成。

鱔魚

鱔魚也叫黃鱔、長魚等。鱔魚，身長而細，頭粗尾細，背黑褐色，肚黃色，眼小無鱗，這種魚的肉質極其細嫩鮮美，被視為魚中佳品。

食之有理！

鱔魚性溫味甘，主治氣血虧虛、倦乏無力、風溼痹痛、筋骨痠軟、內痔出血、氣虛脫肛、婦女勞傷、子宮脫垂、產後淋瀝不止等症狀。現代營養學認為，鱔魚含有豐富的DHA和卵磷脂，而它們都是構成人體各器官組織細胞膜的主要成分，是腦細胞不可缺少的營養素，經常攝取，可以健腦補身；經常食用鱔魚還有很好的補益功能，對身體虛弱、病後、孕婦及產婦的補益效果十分顯著。

也有禁忌！

❶ 吃鱔魚時最好現殺現煮，死鱔魚不宜食用；食用鱔魚，一定要煮熟燒透再吃。

❷ 不可過量食用鱔魚，否則不僅不易消化，而且有可能引發痼疾。

食譜推薦 Food Recommend

歸參鱔魚羹

用法 ——————
佐餐。

功效 ——————
補益氣血。適用於氣血不足、久病體弱、疲倦乏力、面黃肌瘦等症狀。

材料 |
當歸、黨參各15克，鱔魚500克，料酒、蔥、生薑、蒜、鹽、醬油各適量。

製作方法 |
1 將鱔魚剖背脊後，去骨、內臟、頭、尾，切粒備用。

2 再將當歸、黨參切粒。

3 將鱔魚粒置鍋內，放入當歸、黨參，再放料酒、醬油、蔥、生薑、蒜、鹽，加適量清水。

4 將鍋置爐上，先用大火煮沸，撈去浮沫；再用小火煮1小時即可。

 宜

泥鰍

泥鰍又名鰍魚、土溜、長魚等，是一種淡水魚類。頭尖，身青黃色，無鱗，形似黃鱔而較黃鱔為小。被人們譽為「水中人參」。既是美味佳餚，又是益壽藥品。食之味鮮、營養好，藥用強身治病、防衰老。

食之有理！

據分析，每100克泥鰍肉中含蛋白質18.4克、脂肪2.9克，還含有碳水化合物、鈣、磷、鐵及各種維生素等，其中維生素B_1含量比蝦類高3～4倍，維生素A、C含量比其他魚類也高，其所含的脂肪則以不飽和脂肪酸為主，是大補之物，小兒多食有助於生長發育，也為男子滋補佳品，能強精壯體，迅速恢復體力；凡常食者還能達到保健養顏、預防衰老、潤滑皮膚，青春美容的顯著作用。

也有禁忌！

一次不能食用過量。

食譜推薦 Food Recommend

生薑泥鰍湯

材料 |
生薑10克，泥鰍250克，嫩豆腐、青菜各100克，花生油10克，鹽6克，胡椒粉少許。

製作方法 |

1. 將生薑去皮切成絲，泥鰍去頭、去內臟，豆腐切成小塊，青菜洗淨。
2. 鍋內燒油，放入薑絲、泥鰍，用小火煎香，倒入適量清湯，改中火滾至湯白。
3. 再放入豆腐、青菜，加入鹽、胡椒粉，續煮5分鐘即可食用。

用 法
佐餐。

功 效
泥鰍富含多種維生素以及鈣、磷、鐵、鋅等營養素，孕期食用可強身補血。

129

牛肉

牛肉為牛科動物黃牛或水牛的肉，是人類的第二大肉類食品，僅次於豬肉。其富含蛋白質，而含脂肪量較低，味道鮮美，其食用多樣化，深受人們喜愛。

食之有理！

牛肉性溫，味甘，入脾、胃、腎經。有補中益氣、滋養脾胃、強健筋骨、消腫利水的功效，主治虛損羸瘦、脾虛乏力、水腫、腰膝痠軟等。凡是身體衰弱、營養不良、筋骨痠軟、氣短、貧血、面色萎黃、頭暈目眩的人都適合吃牛肉，因此需要大量營養素的孕婦也適合吃牛肉，尤其是有貧血症狀的孕婦，因為牛肉中含有豐富的鐵質，有很好的補血功能。

也有禁忌！

1 火熱之症如痰火、溼熱等咽癢痰多，有微熱，不宜食用。

2 牛肉是一種容易助火、生痰的食品，患有溼疹、瘡毒、搔癢等皮膚病者戒食。

食譜推薦 Food Recommend

清燉牛肉湯

材料 |
牛肋條肉300克，香菇20克，生薑10克，蔥10克，鹽8克，雞精粉3克，黃酒3克，胡椒粉少許。

製作方法 |
1. 將牛肋條肉切成塊，香菇洗淨，生薑去皮切成片，蔥切成段。
2. 鍋內燒水，待水開後，放入牛肉塊，用中火煮透血水，倒出備用。
3. 取燉盅1個，加入牛肉塊、香菇、生薑、蔥段，加入鹽、雞精粉、黃酒、胡椒粉，倒入適量清水，加蓋，燉約2小時後去掉薑、蔥即可食用。

用法
佐餐。

功效
補脾和胃、益氣補血、強筋健骨。孕婦常飲此湯不僅可以健身，還能促進胎兒的健康發育。

 宜

香菇

香菇又稱香蕈、椎耳、香信、冬菰、厚菇、花菇，香菇滋味鮮嫩、香氣濃郁，素有「菇中之王」、「蔬菜之冠」的美譽。

🍄 食之有理！

常進食香菇，可防治營養不良、貧血、佝僂病、慢性消化不良等疾病，令人面色紅潤、氣血充盈、容光煥發。香菇所含的6種多醣類物質中，有2種具有強大的抗癌作用，能增強人體免疫功能，抑制癌細胞生長及轉移，對防治胃癌、食道癌和子宮頸癌有一定功效。此外，香菇還含有誘生抗病毒的干擾素成分，常吃可減少罹患感冒、肝炎。

中醫師有話要說

中醫認為，香菇味甘性平，入胃、肝經。可做為氣血虛弱、納少食積、小便不利等病症的營養食療補品。

🍄 也有禁忌！

1️⃣ 香菇是容易助火、生痰的食品，因此患有頑固性皮膚搔癢的人忌吃。

2️⃣ 香菇忌用冷水泡。

食譜推薦 Food Recommend 香菇米飯 🍴

材料｜

蓬萊米飯200克，水發香菇50克，豌豆粒、胡蘿蔔各15克，花生油25克，鹽3克。

製作方法｜

1 將水發香菇去蒂切成粒，胡蘿蔔去皮切成粒，用開水泡透。

2 鍋內燒油，放入蓬萊米飯，用小火燒透，再放入水發香菇粒、豌豆粒、胡蘿蔔粒，然後加入鹽，用小火炒透入味，盛入碗內即可食用。

用 法
早、晚食用。

功 效
此飯有益氣補飢、治風破血、化痰理氣等功能，能健脾利溼、清熱排膿。

墨魚

墨魚俗名烏賊，墨魚並非魚類，而是海中最大的無脊動物，屬頭足綱，烏賊科，是海洋奉獻給人類的一味美食和良藥。食用宜炒、蒸、煮、燉，還可捶爛製成圓溜、雪白、鮮味的墨魚丸，它是魚丸中的上品、煮湯的佳料。

食之有理！

墨魚含蛋白質13%，而含脂肪僅為0.7%，是可經常食用的滋補海鮮類，即使是肥胖者或動脈硬化、高血壓、冠心病患者，適量吃也無妨。墨魚還含磷、鈣、鋅、鐵、鎂、醣類、維生素B群等營養成分。墨魚是女性一種頗為理想的保健食品，女子不論經、孕、產、乳各時期，食用墨魚皆為有益。

相剋食物！

✘ 茄子。

也有禁忌！

墨魚屬於容易助火、生痰的食品，因此有此疾的人應酌量食用。

食譜推薦 Food Recommend
淡菜墨魚湯

材料┃
淡菜（貽貝）60克，墨魚100克，薑片3克，鹽適量。

製作方法┃
1. 將墨魚洗淨去殼，切成塊。
2. 淡菜浸軟後，洗去泥沙及雜物。
3. 然後將兩者與薑片一齊放進砂鍋內，加適量水與鹽，用大火煮沸後改小火煮3個小時，調味即可。

用 法
佐餐。

功 效
此湯富含蛋白質、維生素B_1、維生素B_2等，可滋陰清熱。

花生

花生又名落花生、及地果、唐人豆，為蝶形花科植物花生的種子。因其善於滋養補益，有助於延年益壽，所以一般又稱其為「長生果」，並且和黃豆一起並稱「植物肉」、「素中之葷」。

食之有理！

花生的營養價值比糧食類高，可與雞蛋、牛奶、肉類等動物性食品相媲美，其蛋白質和脂肪的含量相當高，適宜製作各種營養食品。孕婦常吃花生可以預防產後缺乳。花生皮的止血作用比花生高50倍，對多種出血性疾病都有良好的止血功效，是孕婦防治血小板減少性紫斑的藥膳。

也有禁忌！

1 花生熱量高，每100公克就有500大卡，所以食用時應注意量需拿捏。

2 花生含油脂多，消化時需要多耗膽汁，因此膽病患者不宜食用。

3 花生能增進血凝、促進血栓形成，因此血液黏度高或有血栓的人也不宜食用。

食譜推薦 Food Recommend

花生豬骨湯

用法
早、晚餐食用。

功效
扶正補虛、悅脾和胃、潤肺化痰、滋養調氣、利水消腫、止血生乳。

材料｜
豬骨1000克，花生仁150克，鹽5克，植物油10克，麻油2克。

製作方法｜
1 將花生仁用熱水浸泡好，豬骨洗淨後敲成小塊，去淨骨渣。

2 然後用豬骨熬湯，再加入花生仁、植物油煮透，最後加入鹽、麻油調勻即可。

金針菇

金針菇學名毛柄金錢菌，俗稱構菌、樸菇等，是一種極為普遍的食用蕈類，生產量大，一年四季均有供應，價廉物美。金針菇是擔子菌綱傘科食用菌的菌柄，呈簇生狀，頂端各有一個圓滑的小菌帽，全株細長滑溜、色澤誘人，且烹煮後口味清香，所以備受民眾喜愛。

食之有理！

金針菇富含蛋白質、脂肪、醣類，維生素B_1、B_2、C、E及礦物質如：硒、鋅、鈣、磷、鐵、鉀等營養成分，它還含有人體所需的多種胺基酸、胡蘿蔔素、纖維質，適量食用可增強身體的生物活性，促進新陳代謝，有利於其他營養成分的吸收，對兒童的生長發育及智力發展很有助益，因此金針菇又有「增智菇」的譽稱。

此外，金針菇是高鉀低鈉、高營養、低熱量的健康蔬菜，有助降低血脂及膽固醇，是預防心血管疾病或肥胖的好食物。金針菇含有一種特殊的「金針菇素」，可以抑制癌細胞的生長，它還含有多醣體，有助人體增強免疫力、促進抗體產生、刺激干擾素的合成，適量食用可防治肝炎及腸胃道潰瘍。

也有禁忌！

1 金針菇含豐富的鉀，所以腎炎患者或高血鉀患者，不宜食用。

2 金針菇宜熟吃，不宜生吃。

3 變質的金針菇不能吃。

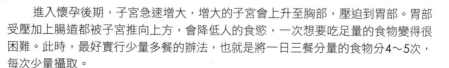

懷孕後期多吃一些容易消化的食物

進入懷孕後期，子宮急速增大，增大的子宮會上升至胸部，壓迫到胸部。胃部受壓加上腸道都被子宮推向上方，會降低人的食慾，一次想要吃足量的食物變得很困難。此時，最好實行少量多餐的辦法，也就是將一日三餐分量的食物分4～5次，每次少量攝取。

菜餚應以容易消化的豆腐或海產品為主，運用切、煮、蒸、燙等烹飪方法進行加工，以減輕胃的負擔。油炸或火炒出來的食物不但不易消化，而且熱量較高容易導致肥胖，所以應該避免吃這類食物。

金針菇拌黃瓜絲

材料 |

金針菇100克，黃瓜200克，枸杞10克，大蒜15克，麻油、鹽各3克，醬油10克。

製作方法 |

1 將金針菇切去硬老的部分，洗淨；黃瓜切成絲；枸杞用涼開水洗淨、泡透；大蒜切成粒。

2 鍋內燒水，待水開後放入金針菇，用大火煮約片刻後撈起，瀝乾水分。

3 用深碗1個，放入黃瓜絲、金針菇、枸杞、大蒜，加入鹽、醬油、麻油，拌勻即可。

用法 ────
佐餐。

功效 ────
此菜脆嫩可口，含有蛋白質、維生素和礦物質，是孕婦宜吃的開胃小菜。

7~10個月 懷孕後期忌吃食物

忌 薏仁

薏仁亦稱苡米，為禾本科、多年生草本植物。秋季果實成熟後，割取全株，晒乾，打下果實，除去外殼及黃褐色外皮，晒乾，即是薏仁，以粒大、飽滿、色白、完整者為佳。研究證明，薏仁在禾本科植物中，是最富滋養、易於消化的穀物。所含的蛋白質、脂肪均較白米為多。自從發現薏仁的多醣體和薏苡脂有增強免疫功能作用以後，薏仁就成為國內外防治腫瘤的熱門藥。

▌忌之有因

中醫認為薏仁性質滑利，對子宮有興奮作用，會促使子宮收縮，引發流產。

忌 莧菜

莧菜又叫杏菜、荇菜、赤莧、雁來紅、三色莧，是一種開綠白色小花的野菜，俗稱「人青草」，屬一年生草本植物。莧菜在亞熱帶的台灣，算是極易栽培的蔬菜，生性很健旺，台灣各地均見有栽培。品種分為白莧和紅莧兩大類，白莧葉片呈綠色，紅莧葉綠中帶有紫紅斑，後者煮食後湯色稍帶紫紅色。

▌忌之有因

莧菜也是寒涼、滑利的食物，對於子宮有明顯的興奮作用，會增加子宮的收縮次數，並使其收縮強度增大，容易導致流產或早產。

忌 罐頭食品

▎ 忌之有因

　　罐頭食品在製作、運輸、儲存、出售的過程中，滅菌與密封如果不嚴格，罐頭可能會被致病微生物汙染，孕婦食用此種罐頭食品，就會發生食物中毒，進而影響到正在發育的胎兒，尤其是懷孕後期。另外，罐頭在製作過程中常常會添加一些防腐劑，而防腐劑對胎兒的正常發育也存在不良影響。

　　罐頭食品的營養價值也不高，經過高溫處理後，食物中的維生素和其他營養成分都會受到一定程度的破壞，孕婦常吃罐頭食品還會造成營養不良。

忌 泡麵等速食品

▎ 忌之有因

　　孕婦在懷孕期尤其是懷孕後期經常吃泡麵等速食品，會出現營養不良的症狀，缺乏蛋白質、脂肪、維生素、微量元素等胎兒發育所必需的營養元素，使胎兒的發育受到極大的影響，胎兒可能成為子宮內發育遲緩的瘦弱胎兒，出生後會顯得先天不足。

忌 大補食品

▎ 忌之有因

　　補品吃得過量，會影響正常飲食營養的攝取和吸收，引起人體整個內分泌系統紊亂與功能失調，甚至引發妊娠高血壓和出血症狀。

　　許多補品含有較多的激素，孕婦濫用這些補品會影響胚胎的正常成熟期，干擾胎兒的生長發育，可能導致胎兒性早熟。

 田雞

　　田雞又名「蛤蟆」，學名「中園林蛙」。田雞外形似青蛙，但頭部寬扁，略呈三角形。因其肉質細嫩似雞肉，故而得名。

▎忌之有因

　　孕婦吃田雞肉會增加母體和胎兒感染寄生蟲的機會。當孕婦感染後，寄生蟲會在其體內釋放毒素，使得組織發生炎性改變，甚至溶解、壞死，形成膿腫或肉芽腫。寄生蟲的幼蟲可以穿過胎盤危害胎兒，在妊娠早期可能會引起死胎、流產；中、晚期會使胎兒發生畸形變化。

　　另外，田雞肉中還有大量化學殺蟲劑，孕婦如果經常吃野生田雞肉，體內所蓄積的殺蟲劑含量也會迅速增多，使胎兒甲狀腺素分泌減少，導致胎兒的大腦和神經系統的正常發育受到阻礙。這樣胎兒出生後不僅會身材矮小，而且存在某種程度上的運動及智能發育障礙。

 豬肝

　　豬肝顧名思義即豬的肝臟，而肝臟是動物體內儲存養分和解毒的重要器官，含有豐富的營養物質，具有顯著的保健功效，也是最理想的補血佳品。吃豬肝很容易造成膽固醇攝取過多。但是，經科學研究證明，只要適量食用豬肝，對血膽固醇的影響很小，不僅不會升高膽固醇，反而還可以獲取充足的維生素A。

▎忌之有因

　　現在的食用豬大多是用飼料催肥的，飼料中一般會添加大量的催肥劑，含有相當多的維生素A，並在豬肝中大量蓄積。孕婦在懷孕後期常吃豬肝，過量的維生素A隨之進入體內，會嚴重影響胎兒的正常發育，甚至導致胎兒畸形。

忌 霉變食品

忌之有因

孕婦如果不小心吃了被黴菌毒素汙染的食品，那麼不僅孕婦本身可能罹患急性或慢性食物中毒，而且還會影響胎兒。

黴菌毒素的侵害可能導致胎兒停止發育而死胎、流產。而且胎兒各種器官的功能不到足月是還未完善的，肝、腎的功能尤其低弱，黴菌毒素會對胎兒產生毒性作用，影響胎兒的發育。

黴菌毒素也是一種致癌物質，會使孕婦和胎兒罹患肝癌、胃癌等症狀。

忌 高脂肪食物

忌之有因

如果孕婦長期吃高脂肪食物（如：肥豬肉、豬肝等），會使大腸內的膽酸和中性膽固醇濃度增加，這些物質蓄積多了就會誘發結腸癌。

同時，高脂肪食物能增加催乳激素的合成，促使孕婦罹患乳腺癌。而大量的醫學研究顯示，乳腺癌、卵巢癌和子宮頸癌具有家族遺傳傾向。

忌 高蛋白食物

忌之有因

懷孕後期攝取高蛋白質不僅會影響孕婦的食慾，增加胃腸道的負擔，而且會影響其他營養物質的攝取，使飲食營養失去平衡性。

過量的攝取蛋白質，人體內會產生大量的硫化氫、組織胺等有害物質，容易引起腹脹、食慾減退、頭暈、疲倦等症狀；還容易導致膽固醇增高，加重腎臟腎小球過濾的壓力。

PART * 5

孕·期·食·譜·及
常·見·症·狀·的·食·療

　　孕婦在妊娠期間往往會感到身體上的不適，可以透過一日飲食來改善這些症狀。在懷孕期間營養的攝取也是重要的關鍵，此單元針對孕期各階段提供合適的營養餐。

懷孕初期一日食譜

　　懷孕初期孕婦往往容易發生輕度噁心、嘔吐、食慾不振、擇食、厭油、疲倦等早孕反應。這些反應會影響孕婦的正常飲食，進而妨礙營養物質的消化、吸收，導致妊娠中、後期胎兒的營養不良。因此，這個階段的膳食要以重品質、高蛋白、富營養、少油膩、易消化吸收為原則。

　　一日可少食多餐，以瘦肉、魚類、蛋類、麵條、牛奶、豆漿、新鮮蔬菜和水果為佳。可多選擇孕婦平常喜好吃的食物，但不宜食用油膩、油煎、炒、炸、辛辣刺激等不易消化的食物。清晨嘔吐症狀嚴重者，可食較乾的食物，如：烤饅頭片、麵包、蘇打餅乾、甜餅乾等，可以減少嘔吐。進食時，可將飲食中的固體食物與液體食物分開，在正餐食完後，隔一些時間再喝水或湯。3次主餐外，可另加2～3餐輔食，少量多餐，減緩嘔吐的不適感，或一次吃完吐掉後，休息一會兒再吃，將吐掉的補充上，以補足一天總需要量。反應過重者，可適當服用維生素B1、B6，每日3次，每次10毫克，連服7～10天，以幫助增進食慾，減少不適感。

孕婦食譜 *1

早餐
豆漿或牛奶250克，饅頭100克，白糖10克。

午餐
饅頭150克，小米粥50克，蝦殼燒青江菜（青江菜300克，蝦殼5克），牛肉末燒豆腐（牛肉25克，豆腐100克，胡蘿蔔25克）。

晚餐
米飯150克，豬肉燒小白菜海帶（瘦豬肉25克，小白菜200克，海帶10克），芝麻醬拌菜豆（菜豆100克，芝麻醬25克）。

健康小叮嚀！ 以上食譜能供給熱量2469千卡，鈣1658毫克、維生素B2 2.31毫克。可用於腳氣病、手足抽搐症、骨質軟化症的飲食治療。

孕婦食譜＊2

早 餐
牛奶雞蛋（牛奶250克，雞蛋50克），豆沙包（麵粉30克，紅豆20克，白糖10克）。

午 餐
麵餅150克，小米粥50克，紅燒白帶魚150克，肉片燒青江菜（瘦豬肉25克，青江菜200克）。

晚 餐
米飯150克，黃瓜肉片（豬瘦肉、黃瓜各100克），番茄蛋花湯（雞蛋50克，番茄100克），蘋果1個。

健康
小叮嚀！　以上食譜能提供熱量2607千卡，蛋白質120克，可用於妊娠期營養不良性水腫的防治。

懷孕初期營養餐

可緩解
孕吐

　　懷孕初期會出現孕吐的現象，所以要吃爽口的食物來增加食慾。同時，為了胎兒的組織和骨骼的形成，要充分吸收蛋白質、鈣等營養素。

蘿蔔蔬菜捲

材料

蘿蔔1/2條，瘦牛肉200g，香菇4個，胡蘿蔔1/3條，紅辣椒2個，金針菇1包，菊苣5～6葉。

蘿蔔的調味料

水1/2杯，鹽、白糖、醋各少許。

其他調味料

切好的蒜1小匙，鹽、胡椒粉各少許，清酒1小匙。

檸檬醬

胡蘿蔔、洋蔥、切好的紅辣椒各1小匙，檸檬汁、蛋黃醬各2大匙，芥末少許。

製作方法

1　胡蘿蔔去皮，切成圓形薄片。

2　把切好的蘿蔔放入碗裡，加鹽、食用醋、白糖、水等放置30分鐘。

3　把瘦牛肉切成6cm長度，再把切好的蒜頭、清酒、鹽、胡椒粉放進鍋裡與牛肉一起拌炒。

4　香菇泡在水裡，泡開後吸乾水分。再切成塊，然後加入食用油拌炒。胡蘿蔔也以4cm的長度切成厚片，去除紅辣椒籽後也切成與胡蘿蔔同樣大小的厚片。金針菇與菊苣也相同處理。

5　將醃好的蘿蔔撈出瀝乾水分，在蘿蔔中間放入肉餡、香菇、胡蘿蔔、芥末、紅辣椒以及蔬菜苗，放在蘿蔔片上捲成扇形。

6　做好的蘿蔔野菜捲可沾上芥末、洋蔥、胡蘿蔔、紅辣椒、檸檬汁、蛋黃醬等做成的檸檬醬即可食用。

 # 番茄沙拉

材料

番茄4個，蘋果1個，核桃仁30g，蛋黃醬2大匙。

柳橙醬調味料

柳橙汁80c.c.，蜂蜜、太白粉水各1大匙。

製作方法

1. 番茄去蒂後用水洗淨，取上面部位的1/3，把裡面的果肉挖出切成1cm大小的塊狀。
2. 蘋果去皮，切成1cm塊狀。
3. 把核桃泡在溫水中，泡開後去殼，切成小塊。
4. 將切成小塊的番茄果肉與蘋果、核桃還有蛋黃醬一起拌勻，最後把這些放入番茄裡面。
5. 把柳橙汁、蜂蜜和少許水一起放入平鍋裡煮一段時間，再加入太白粉水勾芡。
6. 將番茄放入盤裡，淋上柳橙醬就完成了。

 # 芥末海鮮

材料

蝦50g，海螺2個，魷魚1條，高麗菜4片，胡蘿蔔、黃瓜各2g，木耳20g。

調味料

芥末粉2大匙半，食用醋1大匙，白糖2小匙，水1大匙，鹽1小匙，香油、胡椒粉各少許。

製作方法

1. 蝦處理好後，放進蒸籠裡蒸或放在熱水裡煮熟。
2. 海螺用中火煮，掏出肉切成薄片。
3. 把魷魚外膜去掉，清水洗淨後擦乾水分。依5mm間隔切出平行花紋，注意不要下刀太深，切到肉厚的3/4處就可以了，再把切好的魷魚放入燒開的鹽水中汆燙。
4. 黃瓜以4cm的寬度切成塊狀，把籽挖掉後切塊。胡蘿蔔也切成和黃瓜大小，高麗菜切成長形。
5. 芥末粉放進水裡30分鐘左右。若有辣味，放點熱水後再放置10分鐘。
6. 在泡好的芥末汁裡放入食醋、白糖、水、香油、鹽等做成芥末醬。
7. 把備齊的材料放入大碗中用鹽與胡椒粉調味，最後放入芥末醬拌勻即可。

懷孕中期一日食譜

懷孕中期早孕反應已停止，胎兒生長發育增快，營養品種應注意多樣化，以滿足各種營養素的平衡供給。懷孕中期要注意不能服用過量補藥和各種維生素與微量元素製劑（必要時例外），以避免中毒，或影響胎兒發育。

為懷孕中期注意事項

1 足夠的糧穀類食物（每日可食400～450克），除白米、麵粉外，可適當食用雜糧，如：小米、玉米、燕麥片等，維生素B群和某些胺基酸在雜糧中的含量往往優於白米。

2 家禽肉類、魚類等動物性食品及豆製品是食物的蛋白質來源，可適當增加，每週有1～2次動物內臟、海帶或紫菜類食材，以補充維生素和某些微量元素。

3 綠葉蔬菜含有豐富的胡蘿蔔素、維生素B群與維生素C，每天應進食一定數量，水果也需要，但不能「以水果代替蔬菜」。

4 每日飲用225克牛奶，對於補充蛋白質，特別是鈣，很有好處。

孕婦食譜＊1

早餐
小米粥100克，雞蛋2個，芝麻醬20克。

午餐
饅頭150克，排骨黃豆湯100克，炒高麗菜200克。

加餐
麵條50克，雞蛋2個，番茄（或青菜）100克。

晚餐
米飯125克，鯽魚湯100克，蝦殼燒青江菜（蝦殼、青江菜各100克）。

健康小叮嚀！　1日烹調用油10克，紅糖10克。這樣的食譜可提供熱量約2805千卡，蛋白質124克、鈣808毫克。使用這個食譜時，應考慮增加排骨湯等含鈣高的食物，以補充鈣的不足。

孕婦食譜 *2

早餐

米飯180克，海帶湯（海帶、大蔥各5克），煎荷包蛋50克，高麗菜30克，番茄40克，香菜2克。

上午10時：牛奶、西瓜各200克。

午餐

冷麵1盤（麵條120克，蛋25克，油3克，黃瓜、火腿肉各30克，豌豆20克，生薑5克，麻油3克，砂糖5克）。

下午3時：蛋糕50克，牛奶100克（加砂糖8克）。

晚餐

米飯200克，魚肉100克，蘿蔔50克，燉黃瓜140克。

健康小叮嚀！ 以上食譜可提供熱量2258千卡，蛋白質96.6克、鈣1203毫克、鐵14.4毫克。

懷孕中期營養餐

補充蛋白質與鈣質

到了懷孕中期以後，孕婦的孕吐會逐漸消失，並且食慾也會旺盛起來。這時可以盡情的吃自己想吃的食物，但不能吃得太胖，而且要均衡吸收對胎兒成長所必需的營養素。此外，為了預防便祕，還要攝取一定量的纖維質。

雞肉蔬菜捲

材料

雞胸肉300g，香菇7朵，胡蘿蔔、黃瓜各1個，麵包粉1/2杯，少許食用油。

雞胸肉調味料

清酒1大匙，生薑汁1小匙，鹽、胡椒粉少許。

醬汁

醬油1/2杯，海帶湯1杯，清酒3大匙，辣椒油2大匙。

製作方法

1　選出厚度均勻的雞胸肉，以較寬的間隔切出一道道平行的花紋，但是注意不要切太深，切到肉厚的3/4處就可以了。

2　在處理好的雞胸肉裡面加點清酒、生薑汁、鹽、胡椒粉調味，放置約10分鐘。

3　把香菇泡在溫水中，泡開後瀝乾水分，然後把下面的根部切除後切成塊狀。

4　胡蘿蔔去皮，切成與香菇相同大小的塊狀。黃瓜抹上一些鹽放置一段時間後洗淨，最後將黃瓜切成與胡蘿蔔同樣大小。

5　在醃好的雞胸肉上均勻地撒上麵包粉，再把切好的蔬菜各放3塊後捲起來，最後用棉線綁緊。

6　煎鍋裡放入食用油，等到油熱了之後用大火把雞肉捲翻滾煮熟。雞肉捲表面變成金黃色就表示已經熟了，最後用廚房紙巾把鍋裡的油漬擦乾淨。

7　在平鍋裡放入一定量的醬油、海帶湯、清酒和辣椒油做醬汁。

8　若雞肉醬入味，顏色也變成稍有光澤的黑色時即可熄火。等到雞肉冷卻後即可將棉線拆除，並切成圓形放入盤子裡即完成。

 # 醬漬地瓜

材料

地瓜400g，梔子1個，烏醋3大匙，醬油、白糖、香油、米酒各1大匙，水3大匙，黑芝麻2小匙，白礬少許。

製作方法

1 把地瓜洗淨後切成直徑4cm、厚1.5cm大小的圓塊，再把邊緣的皮去掉，最後把切好的地瓜塊放入冷水中。

2 把白礬放在錫箔紙上烤。

3 白礬化開以後，和地瓜一起放入開水中煮熟。

4 把醬油、白糖、香油、米酒、泡出來的梔子水、水等放在一起煮，等到煮開後再放入地瓜。在煮的過程中地瓜有可能會碎掉，因此盡量不要攪拌，直到地瓜表皮呈現透明的光澤為止。

5 最後撒上黑芝麻後裝盤即可。

 # 鰻魚炒野菜蓋飯

材料

鰻魚50g，蝦仁30g，牛蒡50g，細蔥5根，切成碎片的生薑1/2小匙，醬油、香油少許、芝麻，白飯2碗。

製作方法

1 鰻魚處理乾淨，然後在處理好的鰻魚上淋上熱水放置一下。

2 蝦仁處理乾淨。

3 牛蒡去皮，切成4cm長度，細蔥處理過後切成長4～5cm，生薑去皮後切成細條。

4 平底鍋裡放入香油，油熱之後先將切好的生薑與細蔥加入拌炒。

5 材料與食用油調勻後再放入醬油與鰻魚、蝦仁、牛蒡等一起拌炒，為了要能入味，必須要邊攪拌邊炒，接著放入香油與芝麻調味後熄火。

6 把炒好的材料蓋在碗中的米飯上面就完成了。

懷孕後期一日食譜

結合懷孕後期的營養特點，應在懷孕中期飲食的基礎上，進行相對的調整。懷孕後期應增加蛋白質、必需脂肪酸、鐵和鈣的攝取，並補充懷孕所需的維生素。

懷孕後期首先應增加蛋白質的攝取，此期是蛋白質在體內儲存相對多的時期，其中胎兒約存留17克、母體約存留375克，這需要孕婦膳食蛋白質供給比未懷孕時增加25克，因此應多攝取動物性食物和大豆類食物。

其次應供給充足的必需脂肪酸，此期是胎兒大腦細胞增殖的高峰，需要提供充足的必需脂肪酸如花生四烯酸，以滿足大腦發育所需，多吃海魚可利於DHA的供給。

再其次是增加鈣和鐵的攝取。胎兒體內的鈣一半以上是在懷孕後期儲存的，孕婦應每日攝取1500毫克的鈣，同時補充適量的維生素D。胎兒的肝臟在此期以每天5毫克的速度儲存鐵，孕婦應每天攝取鐵達到28毫克。

接著是攝取充足的維生素。懷孕後期需要充足的水溶性維生素，尤其是硫胺素，如果缺乏則容易引起嘔吐、倦怠，並可能使分娩時子宮收縮乏力，導致產程延緩。

最後是熱量，其供給量與懷孕中期相同，不需要補充過多，尤其在懷孕後期最後1個月，要適當限制飽和脂肪和碳水化合物的攝取，以免胎兒過大，影響順利分娩。

孕婦食譜 *1

早餐

豆漿250毫升，饅頭或包子100克，白糖10克。

午餐

糕點150克，麵條50克，牛肉絲炒芹菜（牛肉25克，芹菜200克），炒白菜100克。

晚餐

米飯20克，豬肉燒海帶白菜（瘦豬肉25克，海帶10克，白菜200克），小白菜豆腐湯（小白菜100克，豆腐50克）。

健康小叮嚀！ 以上食譜可供給熱量2535千卡。

 孕婦食譜＊2

早餐

饅頭或麵包100克，炒雞蛋50克，涼拌蔬菜1盤（香菜1克，高麗菜、萵苣各30克，油10克，也可加黃瓜20克、番茄50克），牛奶200克（加砂糖10克）。
上午10時：柑橘100克，蘇打餅乾20克。

午餐

炒米飯（米飯200克，豬肉60克，蔥30克，青豌豆、胡蘿蔔、油各10克），肉絲豆芽青菜湯（肉絲15克，豆芽60克，青菜50克）。
下午3時：牛奶150克，蛋糕50克。

晚餐

米飯200克，紅燒白帶魚或鯧魚70克（加蔥30克），海帶豆腐湯（海帶5克，豆腐100克），炒茼蒿菜50克或炒菠菜70克。

健康小叮嚀！ 以上食譜可提供熱量2378千卡，蛋白質91.8克、鈣917毫克、鐵17.5毫克。

懷孕後期營養餐

富含維生素與鐵質

懷孕後期的體重增加太多也是導致妊娠毒血症的原因之一。這時的飲食要以高蛋白、低卡路里為主，限制鹽和水分的食物。尤其要充分補充身體容易缺乏的鐵質和維生素。

 ## 番茄醬蛋捲

材料

雞蛋4個，洋蔥1/2個，切好的牛肉70g，牛油3大匙，鹽少許、胡椒粉。

義大利麵醬

番茄醬100c.c.，香菇4朵，牛油1小匙，鹽、胡椒粉各少許。

製作方法

1　洋蔥切好備用。

2　在炒鍋裡放入一大匙牛油，鍋熱後再把切好的洋蔥放進去炒，接著放入切好的牛肉一起拌炒，等到加鹽與胡椒粉調味後放涼。

3　將雞蛋放入碗裡攪拌，然後放入炒好的洋蔥與牛肉一起攪拌。

4　把牛油放入炒鍋裡加熱，在牛油化開前把備好的雞蛋倒一半在炒鍋裡，火候調大，用筷子拌炒到半熟。

5　把火調小，將雞蛋皮捲成蛋捲的樣子，趁熱把捲好的雞蛋從炒鍋中拿出來放在食用布裡弄成圓狀。

6　香菇去根，切成薄片。

7　把切成薄片的香菇與番茄醬放入平底鍋裡煮。

8　番茄醬煮開後，熄火之前放入牛油攪勻，再加鹽與胡椒粉調味。

9　將煎好的蛋捲放在盤子裡，淋上醬汁即完成。

 ## 涼拌豆腐海帶

材料

豆腐1塊，洋生菜1/2塊，黃瓜、番茄各一個，海帶30g。

芝麻醬

芝麻、水各2大匙，芝麻鹽、味噌各1大匙，白糖1/2大匙，食醋1小匙半，食用油1小匙，豆瓣醬2/3小匙。

製作方法

1 挑選深綠色且光澤均勻的海帶。若是乾海帶，要先把乾海帶泡在溫水中放置約10～15分鐘，直到海帶變軟後切成長4cm。

2 把豆腐汆燙好，放進攪拌機裡面瀝乾水分。

3 把洋生菜洗淨瀝乾水分撕成小片狀。

4 把黃瓜切成薄片後放入冷水中浸泡。

5 將一塊番茄分成8塊，去皮也無妨。

6 把芝麻用磨粉機搗到出現香味為止。

7 在碗中放入搗碎的芝麻、芝麻鹽、味噌等芝麻醬調味料後攪拌均勻。

8 將豆腐、洋生菜、黃瓜、番茄、海帶，並將醬也一併放入後均勻攪拌。

 ## 香煎蔬菜香菇

材料

生香菇5朵，秀珍菇1朵，蘑菇5個，地瓜2個，南瓜100g。

蒜泥辣椒醬

醬油3大匙，橄欖油2大匙，米酒、檸檬汁、切好的蒜頭少許，切好的紅辣椒1大匙，打散的蛋黃。

製作方法

1 香菇洗淨切除根部，在傘帽部分用小刀切出花紋。

2 蘑菇切成兩半。秀珍菇去除根部。

3 把沒有去皮的地瓜洗淨，切成厚片。把去籽的南瓜連皮帶肉一起切片備用。

4 紅辣椒去籽洗淨後與蒜頭一起切碎。把醬油、米酒、橄欖油、檸檬汁、蛋黃、切好的辣椒與蒜頭一起放入碗裡做成蒜泥辣椒醬。

5 在加熱的鐵盤上放牛油，把地瓜與南瓜先放進去烤一會兒，然後把先前做好的醬汁放進去烤熟。

6 蘑菇只需稍微烤熟即可，因此在地瓜將要烤熟時，再放入蘑菇烤就可以了。

妊娠嘔吐的食療

症狀

女性懷孕早期性腺激素分泌量增加，胃酸明顯減少，消化酶的活性也隨之降低，這不但影響孕婦的腸胃消化功能，而且會使孕婦產生頭暈、噁心、食慾不振、肢體無力、嘔吐等妊娠反應，即「孕吐」，又稱「害喜」，這是一種正常的生理現象。

自我調養

當孕婦感到身體不舒服時要及時休息，學會轉換情緒，多做一些自己喜歡做的事，調整好心情，使自我感覺良好、心情愉快，減輕妊娠劇吐所帶來的反應。

孕婦最好還能按時到醫院做圍產期檢查，圍產期是指妊娠滿7個月到產後7天，這一圍繞分娩前後，關係到母子生命和健康，後代的體、智力發育的重要時期。

飲食要點

孕吐反應大多在清晨空腹時較嚴重，乾食可以減輕症狀。例如，早晨可先讓孕婦漱洗，吃一些麵包、餅乾等食物，再躺半小時左右，然後起床。

適當地補充水分對孕婦來說很重要，因此不要怕喝水後會吐，可以吐了以後再喝，這樣反覆幾次就不會再吐了。還可以在飲水裡加少許鹽，以預防嘔吐造成低鈉現象。

通常晚上孕吐反應較輕，可以適當增加食物，必要的話，在睡前多吃一餐，以滿足孕婦與胎兒的營養需要。

 食療飲品

1 甘蔗汁1杯，生薑汁少許，攪拌均勻後代茶飲用。
2 牛奶1杯煮開，加入1匙韭菜末，攪勻後溫服。
3 奇異果鮮果90克，生薑9克，一同搗爛，取汁，早、晚各飲用1次。
4 生薑、桔皮各10克，水煎取汁，加少許紅糖後飲用。
5 柚子皮20克切碎，煎水代茶飲用。

食療食譜 *1
砂仁鯽魚湯

材料

砂仁3克，鯽魚1條（約400克），滑子菇30克，生薑、香菜、花生油各10克，鹽8克，紹興酒3克，胡椒粉少許。

製作方法

1. 將鯽魚殺洗乾淨，在魚脊上畫上花刀，滑子菇洗淨，生薑去皮切粒，香菜洗淨。

2. 加油熱鍋，放入鯽魚，用小火煎透，撒上薑粒，倒入紹興酒及適量清湯。

3. 再放入砂仁、滑子菇，用中火煮約15分鐘至湯白；然後加入鹽、胡椒粉，續煮5分鐘起鍋，撒入香菜即可。

用 法
每天1次，連用7天。

食療食譜 *2
薑汁冬瓜粥

材料

生薑15克，冬瓜100克，蓬萊米150克，鹽3克。

製作方法

1. 將生薑去皮榨成汁，冬瓜去皮、籽後切成粒，蓬萊米洗淨。

2. 取鍋子1個，倒入適量清水，用中火燒開，加入蓬萊米、薑汁，改用小火煮約30分鐘。

3. 最後放入冬瓜粒，加入鹽，再煮15分鐘即可食用。

用 法
佐餐。

健康小叮嚀！ 發生妊娠嘔吐時多喝一些水，可以降低「外來毒素」的濃度，使它們隨著尿液被排出，同時也可以避免孕婦因劇烈嘔吐而導致身體脫水。水還可以幫助身體進行代謝，降低血液中荷爾蒙和黃體激素的濃度，減輕身體不適的程度。因此，多喝水是緩解妊娠嘔吐的一項簡便而有效的方法。

妊娠水腫的食療

症狀

女性懷孕3～7月時，常常會出現不同程度的水腫。這是由於胎兒發育、子宮增大而壓迫下肢，使血液回流受到影響所致。有的不需要治療即可消退；有的比較嚴重，或者同時發生心悸氣短、腹脹身倦等症狀，臥床休息後仍不消退，即為妊娠水腫，需要特別重視。

自我調養

1. 浮腫嚴重者應臥床休息，下肢浮腫者睡眠時，宜把兩腿適當抬高。

2. 注意休息與保暖，避免過度疲勞。

3. 宜低鹽或無鹽飲食，少吃用發酵粉與鹼製的糕點。多吃一些有利於利尿退腫的食品，如：冬瓜、紅豆、扁豆、薺菜、墨魚、鯉魚、玉米、西瓜等。

4. 少吃生冷、油膩和不利於消化的食物，預防進一步損傷脾胃。

5. 保持心情舒暢，消除緊張恐懼心理。

6. 氣滯者（按腫處，隨按隨起）可適當活動，使氣血流通。

7. 雖然中醫有「有因無損」的原則，但利竅、滑胎的藥物還應酌情使用，病癒即止。

8. 利尿退腫不宜太過，先取食療，後取外治法，無效者再請醫生開藥治療。

飲食要點

　　無論是什麼原因引起的妊娠水腫，藥物治療都不能徹底解決問題，必須改善營養，增加飲食中的蛋白質攝取量，提高血漿中白蛋白含量，使組織裡的水分回到血液中。

　　應當減少鹽及含鈉食物的攝取量，少吃鹹菜等，以減少水鈉滯留。

　　增加臥床休息的時間，以改善下肢回流，增加腎血流量，增加尿量，減輕症狀。

 食療食譜
冬瓜羊肉湯

材料
冬瓜100克，瘦羊肉80克，枸杞3克，生薑、蔥、花生油各10克，鹽8克，紹興酒3克，胡椒粉少許。

製作方法
1. 將冬瓜去皮、去籽後切成厚片，羊肉切片（加入紹興酒、胡椒粉醃好），生薑去皮切片，蔥切成花。
2. 加油熱鍋，放入薑片爆香，倒入適量清湯，加入冬瓜，用中火煮至冬瓜六分熟。
3. 再放入羊肉片、枸杞，加入鹽煮透，撒入蔥花即可。

用法
可做正餐湯菜食用。

功效
健脾益氣，利水安胎。

妊娠腹痛的食療

症狀

妊娠期間，小腹疼痛，並反覆發作時，稱為妊娠腹痛。腹痛的主要原因是胞脈被胎兒「阻滯不通」，因此又稱「胞阻」。本病臨床表現為小腹冷痛，或小腹隱隱作痛，按之痛減，面色萎黃，心悸。

 食療食譜＊1
香附陳艾燉雞湯

材料

子雞1隻，香附、陳艾各10克，杜仲15克，紅棗、生薑各10克，鹽6克。

製作方法

1 將子雞去盡內臟，紅棗洗淨，生薑去皮切成片。
2 鍋內燒水，待水開後，放入子雞，用大火煮去血水，撈起洗淨。
3 取燉盅1個，放入子雞、香附、陳艾、杜仲、紅棗、生薑，加入鹽，倒入適量清水，加蓋，隔水燉約3小時即可。

用法

每日3次。雞肉及湯視食量大小分次食用。

功效

對妊娠期間小腹冷痛、面色蒼白、形寒肢冷、舌質淡、苔薄白、脈沉弱有改善功效。

 食療食譜 * 2

陳皮木香炒肉片

材料

陳皮、木香各3克,生薑5克(切碎),瘦豬肉100克(切片),鹽適量。

製作方法

1 先將陳皮、木香切絲備用,起油鍋下薑粒,再加入豬肉炒片刻。

2 將熟時放入陳皮、木香同炒,用少許鹽調味。

功 效

對妊娠期間胸腹脹滿疼痛,以兩脅尤甚,煩躁易怒、苔薄膩、脈弦滑有效。

 食療食譜 * 3

蘋果綠豆糯米粥

材料

蘋果1個,綠豆50克,糯米150克,白糖35克。

製作方法

1 將蘋果去皮、去核切成粒,綠豆用溫水泡透,糯米用清水洗淨。

2 取鍋子1個,倒入清水適量,用大火燒開。

3 放入綠豆、糯米,改用小火煮至米開花後,再放入蘋果粒,加入白糖,續煮13分鐘,盛入碗內即可食用。

用 法

每日1次,早、晚餐皆可食用。

功 效

清暑解熱,生津止渴,適用於妊娠合併腹痛。

妊娠高血壓綜合症的食療

症狀

妊娠高血壓綜合症（簡稱妊高症）是妊娠期女性特有而又常見的疾病，以高血壓、水腫、尿蛋白、抽搐、昏迷、心腎功能衰竭，甚至發生母嬰死亡為臨床特點。它依照嚴重程度可分為輕度、中度和重度。重度妊娠高血壓綜合症又被稱為先兆子癇，子癇即在高血壓基礎上有抽搐症。

妊娠對胎兒的影響

　　妊高症的主要病變是全身小動脈痙攣，重症患者有血液濃度和血容量明顯減少現象，因而子宮胎盤血流灌注減少，胎盤床存在著急性動脈粥狀硬化改變；胎盤中不僅DNA及蛋白質減少，而且多數酶活性顯著下降，葡萄糖利用率亦降低，使胎兒對氧和營養物質的攝取受到嚴重影響，導致胎兒生長發育障礙。重度妊高症患者的胎盤儲備功能也大為下降。特別是伴有胎兒子宮內生長遲緩者，在有稀弱宮縮時，胎心可能突然消失，即與胎盤儲備功能降低有關。臨床上所表現的早產、胎死子宮內或死產，以及胎盤早期剝離的發生，都與妊高症的嚴重程度呈正比相關。

家庭的預防

1　在妊娠早期進行定期檢查，主要是測血壓、查尿蛋白和測體重。

2　注意休息和營養。孕婦的心情要舒暢，精神要放鬆，每天臥床10小時以上，並以側臥位為佳，以增進血液循環，改善腎臟供血條件。飲食不要過鹹，確保蛋白質和維生素的攝取。

3　及時糾正異常情況。如果發現貧血，要及時補充鐵質；發現下肢浮腫，要增加臥床時間，把腳抬高休息；血壓偏高時要按時服藥。症狀嚴重時要考慮終止妊娠。

4　注意自身病史。曾患有腎炎、高血壓等疾病，以及上次懷孕有過妊娠高血壓綜合症的孕婦要在醫生指導下進行重點監護。

 食療食譜 *1

黨參燉乳鴿

材料

黨參、枸杞15克,乳鴿1隻,料酒6克,胡椒粉、鹽、薑各3克,蔥6克。

製作方法

1 將黨參、枸杞用水潤透,切成段。

2 乳鴿宰殺後,洗淨,去內臟及爪,切塊,放入沸水中煮去血水,薑、蔥洗淨,切片。

3 將以上材料全部放入燉鍋內,加入清水600毫升,置大火上煮沸,再改用小火燉80分鐘,調味即可。

用 法 ——————
佐餐。

功 效 ——————
清補氣除溼、降低血壓。適用於氣虛溼熱困阻型高血壓,尤其在梅雨季節宜用。

 食療食譜 *2

海蜇拌菠菜

材料

菠菜根、海蜇皮各100克,香油、鹽適量。

製作方法

先將海蜇洗淨切絲,再用開水燙過,然後將用開水汆燙過的菠菜根與海蜇加調味料同拌,即可食用。

用 法 ——————
每日1次。

孕婦禁用的中草藥

懷孕期間用藥，大部分醫師都不表贊同使用中藥草，因為古代已有藥即是毒的觀念，除了日常食物外，最好不要服用一些平常不吃的藥材，即使治病，亦要適可而止。

在懷孕期間吃藥對母體或胎兒都不一定有好處，除非必要，絕少用藥，更不用説懷孕期間的補藥了。西藥大部分是化學合成藥，副作用較大。相對而言，中藥多是天然之物，副作用小。為了孕婦和胎兒的安全與健康，在懷孕期間，許多孕婦生病時喜歡選用中藥。但是中藥並非都是絕對安全的，對於懷孕的婦女來説，有許多中藥屬於禁忌或慎用範圍。

根據中醫師的觀點，有關傷科使用的藥材、腹瀉、利尿、嘔吐的用藥及屬兩極性（大寒、大熱）的藥物都不能用於孕婦，此類單味中藥約有一百多種，在此僅就常見用於治病的藥材列舉。

附子

本品原藥材毒性強，除了外用，一般用藥必須經過炮製，並將毒性減至400～500倍，為孕婦絕對慎用的藥物。植物名稱為烏頭，附子取其塊根部位，性屬溫，有補陽及通經墮胎作用。

瞿麥

外形類同康乃馨的植物，一般多於晒乾後使用。性寒、利尿、破血通經，為傷科用藥，內科多用於泌尿方面疾病，有消炎止痛作用。

蜈蚣

含有動物性蛋白，遇熱煮過，則毒性減弱。性溫、解痙、通絡止痛。

通草

為植物的骨髓。性寒，利尿，有退熱作用。

芒硝

為學名硫酸鈉的礦物，性寒，精製後俗名為玄明粉，有瀉熱通便作用。

牡丹皮

為牡丹樹的根皮，有消炎的作用。味苦，性微寒，清熱涼血、活血化瘀。

三棱

性平，為植物的塊根，形狀像芋頭，質料像木頭，具很強的破血祛瘀作用，為行氣止痛藥。

牛膝

牛膝有川牛膝及懷牛膝。懷牛膝性平，具有補性，可活血化瘀，為植物的根；川牛膝有消炎、風溼性、免疫性效用。

乾薑

為老薑晒乾後經炮製，中品，性熱，通脈。

孕婦絕對禁用的藥物

- 有毒性，直接傷胎、腐胎的作用，應當嚴禁使用。如：蛇青、附子、天雄、烏頭、野葛、水銀、巴豆、芫花、大戟、礠砂、地膽、斑蝥等。
- 有輕微毒性，大劑量時毒性顯現。如：水蛭、虻蟲、蜈蚣、雄黃、牽牛子、乾漆、蟹爪甲、麝香等。
- 有活血化瘀、破症散血、墮胎作用的藥物，這類藥物可能導致早產或流產。如：茅根、木通、瞿麥、通草、薏仁、代赭石、芒硝、桃仁、牡丹皮、三棱、牛膝、乾薑、肉桂、制半夏、皂角刺、南星、槐花、蟬蛻等。

禁用的中成藥

其成分含有孕婦禁用的藥物，宜慎用。如：牛黃解毒丸、大活絡丸、小活絡丸、六神丸、至寶丸、跌打丸、舒筋活絡丸、蘇合春丸、牛黃清心丸、紫雪丹、黑錫丹、開胸順氣丹、複方當歸注射液、十滴水、小金丹、玉真散等。

凡重鎮、滑利、攻破、峻瀉、辛香走竄、大熱大毒的中藥均為孕婦用藥的禁忌範圍，使用時必須慎重。

孕期用藥指南

　　準媽媽們因為在懷孕過程中會產生許多生理上的變化與反應，而導致有服藥的機會，可是藥物種類繁多，生怕準媽媽們吃了藥下去會傷到肚子裡的胎兒。所以千萬不能亂服藥，否則有可能會造成畸形兒或形成更嚴重的併發症！

孕婦用藥原則

1　用藥必須有明確的症狀表現，而且對治療孕婦疾病是有益的。

2　不要濫用藥物，可用亦可不用的藥物，就不要使用。

3　選用已經證明對胎兒無害的藥物，對於標有「禁用」、「忌用」字樣的藥，絕對禁止使用。

4　用藥時要注意自己的懷孕月份，嚴格掌握劑量以及持續的時間。須適當用藥，及時停藥。

5　用藥需權衡利弊，如有些藥物雖然可能對胎兒有不良影響，但當疾病危及孕婦健康或生命時，仍須用藥。

6　在同一類藥中，應選用對胎兒影響較小而且療效好的藥物。

7　選擇已用於臨床多年，並證實其對胚胎或胎兒無不良影響的藥物。少用或不用新上市的藥物。

8　在妊娠早期因病情狀況必須採用對胎兒有害甚至可能致畸的藥物，則應該先終止妊娠，然後再用藥。

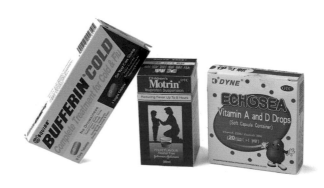

孕婦禁用或慎用的西藥

美國食品藥物管理局（ＦＤＡ）根據藥物可能對胎兒造成的危害與用藥好處，將懷孕期間用藥分成五級，分別為Ａ、Ｂ、Ｃ、Ｄ、Ｘ級。安全性依次遞減，也就是Ａ級最安全，Ｘ級禁用。

用藥級別	定義
A級藥品	經控制良好的人體研究證實，對胎兒沒有危害。如：產前使用的多種維生素（FOLIC ACID、VITAMIN B_6等）。
B級藥品	沒有證據顯示對胎兒有危害。動物實驗顯示對胎兒沒有危害，但是沒有人體實驗證實；或動物實驗顯示對胎兒有危害，但是在控制良好的人體研究數據，並未發現對胎兒會造成危害。如：部分抗生素、ACETAMINOPHEN、ASPARTAME、FAMOTIDINE、PREDNISONE、INSULIN等。
C級藥品	無法排除對人類的胎兒會產生危害。沒有人體研究數據，缺乏動物實驗證據或動物實驗顯示對胎兒有危害。 如：PROCHLOPERAZINE、FLUCONAZOLE、CIPROFLOXACIN、部分ANTIDEPRESSANT等。
D級藥品	證據顯示對胎兒有危害，但是用藥的好處多於可能的壞處。如：ALCOHOL、LITHIUM、PHENYTOIN及大部分化療藥物等。
X級藥品	懷孕期間禁用。已證實對胎兒有危害，且用藥的壞處明顯多於可能的好處。如：ISOTRETINOIN、THALIDOMIDE等。

分出了這些等級，瞭解到孕婦不可以隨便亂服藥，藥物對胎兒的影響是很大的，所以準媽媽們在懷孕的前後都應熟悉用藥須知，建立正確的用藥觀念。目前大多數的藥品歸類為Ｂ、Ｃ級的，表示其安全性有待商榷，而必須要做謹慎的評量，最好能夠達到治療疾病時，又能夠保護到胎兒的安全。有些藥物不一定都有懷孕用藥級數可以參考，必須由醫師或藥師判讀後才能建議使用。藥物造成胎兒畸形原因主要是劑量，藥物種類、懷孕週數、母體健康狀況等因素決定。